EN TOEN KWAM LINDE

Brigitte Minne

En toen
kwam Linde

Met tekeningen van Carll Cneut

boek.be
ZET JE ZINNEN OP EEN BOEK

Een uitgave van Boek.be.
In opdracht van Boek.be geproduceerd door uitgeverij De Eenhoorn.

© 2003, Brigitte Minne
Omslag en illustraties: Carll Cneut

ISBN 90-77165-02-9
D/2003/128/2
NUR 282, 283

De marionet

De zon schijnt ook vandaag zonder ophouden. Een broeiend hete zomer is het. In mijn zolderkamer, net onder het dak, is het ondraaglijk warm. Hier is het gelukkig koel. De kussens van de bank voelen zacht aan en ik ben blij dat ik hier lig. Vroeger was er absoluut geen sprake van dat ik in het atelier van mijn vader mocht slapen. Er hangt altijd een doordringende verflucht en mijn vader paft er de ene sigaret na de andere. Veel te ongezond voor een kind, vond mijn moeder. Mijn vaders sigaretten stinken, maar zijn verf ruikt heerlijk. Ik trek het laken op tot aan mijn kin en gluur naar mijn vader. Het valt me op dat zijn haar veel dunner is geworden. Hier en daar kan ik zijn hoofdhuid al zien. Onder zijn ogen zitten waaiers van rimpels. Die waren me nog niet eerder opgevallen.

Hij staart van het doek naar de tubes met verf en dan naar zijn palet vol kleurenvlekken. Hij zoekt een kleur voor de broek van de marionet die lusteloos aan touwtjes hangt. Het is een pop met veel verdriet. Het poppengezicht lijkt verdacht veel op dat van mijn vader. Terwijl zijn blik over de tubes glijdt, zuigt hij aan zijn sigaret en blaast de rook langzaam uit. Er stijgen blauwe kringen op. Het raam staat op een kier. Een lichte tocht drijft de sigarettenwolken de kamer in en lost ze uiteindelijk op.

Mijn vader kijkt naar buiten. Het begint te schemeren en ik zie hem denken dat er te weinig licht is om verder te werken. De broek zal voor morgen zijn. Hij dompelt zijn penselen één voor één in het oude soepblik gevuld met terpentijn. Met een vod wrijft hij ze droog. Hij maakt zijn wijsvinger en duim nat met wat spuug en papierlijm en kneedt punten aan de penselen. Daarna bergt hij ze zorgvuldig op in de houten bak.

5

Op zijn penselen is hij altijd zuinig geweest.

Dat is bijzonder, want hij is eigenlijk een onverbeterlijke sloddervos. Soms dreef hij mijn moeder echt tot wanhoop. Als ze voor de honderdste keer zijn vuile sokken van onder het bed moest halen. Of als de spiegel in de badkamer weer eens onder de witte spatten zat, omdat mijn vader zijn tandpastamond te hoog boven de wastafel leegspuwde.

Ze steigerde ook als er voor de zoveelste keer geen kopje meer in de porseleinkast stond, omdat hij overal in huis vieze koffiekoppen liet rondslingeren. Vorig jaar gaf ze hem voor zijn verjaardag een mok aan een ketting. Die kon hij dan om zijn hals hangen. Mijn vader keek nogal zuur toen hij het verjaardagsgeschenk uit de cadeauverpakking haalde. Maar na een paar glazen wijn bengelde de mok op zijn buik. Nu zou hij dat niet meer doen. Uit angst dat die mok zou breken. Alle spullen die hij ooit van mijn moeder kreeg, zijn hem even dierbaar als zijn penselen.

Mijn moeder gierde het uit toen hij met die rare mok om zijn hals rondliep. Ze had zo'n lach waarvan je mondhoeken gaan krullen, of je het nu wilt of niet.

Als mijn moeder boos was, was ze ook echt boos. Dan mocht iedereen het zien én horen. Dan knalde ze de deuren dicht en schreeuwde ze tot haar stem helemaal schor was. Als ze zich verdrietig voelde, liet ze haar tranen stromen en snotterde ze hele zakdoeken vol.

Mijn vader en ik zijn van het stille soort. Als we boos zijn laten we dat niet zo gauw merken, maar als we blij of verdrietig zijn ook niet.

De miauwende hond

Mijn blote voeten laat ik meestal op de sporten van de stoel steunen, zodat mijn tenen de kille vloer niet raken. Maar nu laat ik ze op de vloer rusten. Met dit warme zomerweer voelen de keukentegels heerlijk koel aan. Het vlechtwerk van de keukenstoelen drukt door mijn pyjamabroek heen ribbels in mijn billen.

De cornflakes in mijn kom knisperen als ik er melk over giet. De ribbels en het geknisper... Soms heb ik het gevoel dat elke ochtend van mijn leven zo is geweest, maar dat is niet zo. Ooit was ik een baby die op mijn moeders schoot hing, aan haar borsten zoog en allerlei papjes in mijn mond liet lepelen. Ik duw deze gedachte zo vlug mogelijk in het geheime hoekje van mijn hoofd, het mamahoekje, want ze doet pijn.

Mijn vader staat bij de vensterbank met een plastic fles in zijn handen: het groene spul voor de kamerplanten. In zijn voorhoofd zit een diepe frons. Zuchtend leest hij wat er op het etiket staat. Een paar planten laten hun oren hangen. Hun blaadjes zijn aan de rand bruin geworden en krullen ellendig.

"Een dopje per week, maar niet in de winter," zeg ik.

"Het is zomer," mompelt mijn vader.

Hij loopt met de fles naar de keuken.

Het is niet alleen zomer. De kalender verraadt ook dat het vakantie is. Vroeger verzon mijn moeder altijd wel iets. We gingen naar de zoo of we fietsten naar zee of we gingen kanoën of insecten zoeken in de bermen. We gingen nooit op reis. Zelfs niet naar mijn grootouders in Spanje. Dat is veel te duur voor een arme kunstenaar, vond mijn vader. En nu zijn er helemaal geen uitstapjes meer. Mijn vader is een echte huismus. Hij haalt bergen chips en ijsjes bij de supermarkt. Dat is ook vakantie, zal hij ongetwijfeld wel denken. Ik vind het goed zo. Schelpen en haaientanden zoeken op het strand is niets voor hem. Kevers en vlinders zijn evenmin aan mijn vader besteed, tenzij hij ze wil schilderen. Als ik het hem zou vragen, zou hij die mamadingen zeker met mij doen, maar dat wil ik niet. Het is zoiets als een aap tafelmanieren leren. Of van een hond verwachten dat hij miauwt en kopjes geeft.

Ik koester alle mamadingen in een duister hoekje in mijn hoofd. Het is mijn geheime plekje en ik ga er af en toe in snuffelen en herinneringen ophalen. Ik alleen. Ik wil niet dat er iemand meesnuffelt.

"Mama had er verstand van," mompelt mijn vader terwijl hij de kamer binnenkomt met een kan water met daarin het spul voor de planten. "Ze had groene vingers."

Ik knik. De kamerplanten zagen er inderdaad stukken beter uit toen zij er nog voor zorgde. De bladeren glansden en droegen massa's bloemen.

Mijn vader begint kwistig te gieten. Hij is veel te gul. Eén van de schalen onder de potten loopt dan ook meteen over. Het water stroomt over de rand en drupt van de vensterbank op de vloer. Van een miauwende hond kun je niets beters verwachten. Hij vloekt binnensmonds, het is niet voor mijn oren bedoeld. Met een punt van zijn hemd wrijft mijn vader de vensterbank droog. Hij trappelt wat in het rond en dweilt met zijn kousenvoeten het gemorste water op. Liever een hele ochtend natte tenen dan een vod of een dweil te pakken. Dat is echt iets voor hem.

In de keuken ruilt hij de kan voor een kop koffie. Hij gaat op de stoel recht tegenover mij zitten. De stoel naast ons blijft leeg.

"Ik ga straks naar het kerkhof," zegt mijn vader. "Ga je mee?"

"Nee," antwoord ik. Ik heb genoeg aan het hoekje in mijn hoofd.

De mok van mijn vader zal straks in dit stille huis rondslingeren en vanavond zal ik met de geur van terpentijn in mijn neus in slaap vallen. De dagen zijn als een film waarvan je het begin en het einde kent.

Verloren droom

De volgende dag word ik gewekt door luid gehamer. Mijn vader timmert waarschijnlijk een lijst voor een van zijn schilderijen. Moet hij dat uitgerekend nu doen? Ik was net zo zalig aan het dromen. Mijn moeder en ik voeren in een roeiboot op een rivier door een oerwoud van enorme kamerplanten. We zaten heel dicht bij elkaar en haar hand rustte op mijn schouders. Op de oever zaten een paar apen bananen te eten met mes en vork. Er kuierden honden rond die miauwden en aan hun leiband een koffiemok droegen. Mijn moeder schaterde het uit. Haar lach viel op mijn hoofd als een frisse plensbui in deze veel te warme zomer.

Ik was zo blij dat ik haar nog eens van dichtbij kon zien, horen en voelen. Soms ben ik bang dat er een dag komt dat ik vergeet hoe ze eruit zag. Elke dag dwing ik mezelf om naar haar foto op mijn nachtkastje te kijken. Op een dag zal haar beeld voor altijd in mijn hersens gebrand zijn, denk ik.

Bokkig om de verloren droom, stommel ik de trap af en wandel de keuken binnen.

"Wat een herrie," brom ik tegen mijn vader.

"Heb ik niets mee te maken," antwoordt hij. "Ze verbouwen de stal. Er komen blijkbaar mensen wonen."

Ik kijk verbaasd op. "Echt?"

Mijn vader knikt.

De 'stal' is het huis naast ons. Het staat al jaren leeg. Bijna alle vensters zijn gebroken en in het dak zitten enorme gaten. De wind heeft er vrij spel. De verf bladdert van de muren die zelf ook afbrokkelen. Klimop slingert zich aan alle kanten naar binnen en weer naar buiten. In de kamers groeien paardebloemen en stinkende gouwe in de barsten van de vloertegels, en in de voegen staat mos.

Mijn moeder en ik klauterden vaak over de omheining. Het ging ons niet om de stal, maar om de tuin: een wildernis van brandnetels, vlierbomen en braamstruiken. In de zomer krioelde het er van de vlinders en de insecten. Er waren ook vlierbloesems, waar mijn moeder heerlijke limonade van brouwde. Van de bessen kookte ze gelei. We knipten elk jaar bloesems van de linde, een mand vol. Mijn moeder droogde ze en zette er in de winter thee van. We plukten vergieten vol braambessen, waar ze jam van maakte, hoewel er flink wat braamstruiken achter in onze eigen tuin groeien.

"Je kunt maar beter wegblijven uit die tuin," zegt mijn vader. Dat was ik ook van plan. Alleen heb ik er niets te zoeken.

"Ik ga straks naar mama. Heb je zin om mee te gaan?"

Ik schud mijn hoofd.

"Zoals je wilt," zucht mijn vader en hij steekt zijn eerste sigaret op.

Een eindeloze plakvlieg

Het verbaast me dat mijn bed en kleerkast nog niet wegge-smolten zijn. Mijn kamer lijkt wel een broeikas. Toch ga ik er een paar keer per dag naartoe. Als ik op een stoel klauter, kan ik door mijn dakraam de nieuwe buren bespieden. Zo ont-dekte ik dat ze achter in de tuin met een bosmaaier een stuk-je van de wildernis platgelegd hebben. Op die open plek staat nu een kleine caravan met een lichtgroen dak. Daar wonen ze en ondertussen klussen ze aan het huis. Ze zijn overigens niet alleen. Het wemelt er van mensen in blote buik en zwem-broek die planken en potten verf over en weer zeulen. In de lindeboom hebben ze een tuinslang gehangen waar ze af en toe onder gaan staan. Mijn vader en ik houden overdag alle ramen en deuren potdicht om het geluid van de gillende cir-kelzaag en het eindeloze gehamer buiten te houden.

De caravanbewoners en hun vrienden doen wonderen: de stal begint langzamerhand verdacht veel op een huis te lijken. Op het dak liggen nu pannen en er zit na jaren opnieuw glas in de ramen. Het huis is wit geverfd, de luiken en de ramen zijn blauw. Links en rechts van de deur hebben ze aarden pot-ten met lavendel gezet. De bloemen hebben dezelfde blauwe kleur als de ramen en de luiken.

Het is een stuk moeilijker om erachter te komen wat er bij de caravan gebeurt. Die staat te ver af. Ik kan alleen maar zien dat het nieuwe buurmeisje vaak op het trapje voor de cara-van zit en daarvoor moet ik mijn neus zo ongeveer platdruk-ken tegen het vensterglas. Het is een mollig meisje met twee blonde vlechten. Elk keer als haar vader en moeder voorbij het trapje komen, springt ze hen als een slingeraap om de hals. Vanuit het zolderraam doet dat denken aan een kluwen van mensen die met octopusarmen om elkaar heen grijpen.

Een wazig beeld, zoals op een onscherpe foto. Het buurmeisje moet een eindeloze plakvlieg zijn. Dat kan niet van mijn vader en mij gezegd worden. Mijn moeder versleet ons vaak voor macho's of koele kikkers. Soms greep ze mijn vader onverwacht beet of trok mij op haar schoot.

"Het kan me niet schelen wat jullie ervan vinden," zei ze dan lachend. "Ik heb er nu eenmaal behoefte aan."

Dan begon ze ons als een gek te zoenen, of knabbelde op onze oorlellen. Mijn vader en ik stonden of zaten er dan schaapachtig bij en lieten haar begaan. Maar ik wed dat mijn vader de knuffelaanvallen van mijn moeder, net als ik, eigenlijk best fijn vond.

Een asociale vogel
en een wereldvreemde kwast

Wanneer ik mijn vader op de trap hoor, spring ik haastig van mijn stoel en zet hem vliegensvlug weer keurig naast mijn schrijftafel. Mijn vader hoeft niet te weten dat ik de buren bespied. Mijn kamerdeur zwaait open en hij staat in zijn onderhemd en spijkerbroek in de deuropening.

"Hoe hou je het in godsnaam vol?" mompelt hij. "Het is hier om te stikken."

Met de rug van zijn hand wrijft hij een paar zweetdruppels van zijn voorhoofd.

"Ik kwam alleen maar een stripverhaal halen," lieg ik en ik wijs naar mijn boekenplank.

Mijn vader grijpt met zijn ene hand de deurpost beet. De hand met de zweetdruppels haalt hij een paar keer door zijn haar. Dan laat hij zijn hand van zijn voorhoofd naar zijn kin glijden. Zijn stoppelbaard klinkt als een rasp als hij erover wrijft. Geen wonder, hij heeft zich de laatste dagen nog nauwelijks geschoren. Hij kucht. Het klinkt bijna zielig.

"Ze hebben ons uitgenodigd, Lowie."

"Wie?" vraag ik stomverbaasd.

"De buren," antwoordt hij. "Uit dankbaarheid. Omdat we niet mopperen over het lawaai."

Ik zie mijn vader denken dat we beter wel hadden gemopperd, zodat ze ons niet hadden uitgenodigd. Ergens naartoe gaan is een straf voor hem. Alleen met stokslagen krijg je hem de deur uit. Als ik er niet was, zou hij waarschijnlijk niet eens eten kopen en van de verflucht in zijn atelier leven en tabak kweken in de tuin, zodat hij het huis niet meer uit moet om sigaretten te kopen. Voor hem is het een goede zaak dat wij amper familie hebben en mijn opa en oma ver weg wonen. Af en toe een kaart schrijven waarop staat dat we het goed maken en misschien de volgende zomer eens langskomen, volstaat wat hem betreft. Die volgende zomer zal altijd de volgende zomer blijven. Hij zal nooit gaan. Dat snap ik wel en mijn grootouders weten dat ook. Als hij al eens ergens naartoe ging, deed hij dat alleen maar voor mijn moeder. En daar ging altijd een heus circus aan vooraf. Hij sputterde tegen en bleef weigeren en mijn moeder bleef maar zeuren en gilde dat hij een asociale vogel was en een wereldvreemde kwast. Met die waarheid kon hij moeilijk omgaan. Om het tegendeel te bewijzen ging hij uiteindelijk toch maar mee. Uit protest trok hij dan wel een van zijn met verf bevlekte hemden aan, of een spijkerbroek vol scheuren. Mijn moeder deed dan alsof ze dat niet zag, hield haar lippen op elkaar geperst en knipoogde stiekem naar mij om haar triomf te delen. Het gekke was dat, als ze eens uitgingen, mijn vader zich meestal kostelijk amuseerde. Maar bij een volgend uitstapje of avondje uit was het weer zover. Hij begon steevast te mopperen, tot mijn moeder hem bestreed met haar favoriete wapens: ze noemde hem dan asociale vogel en wereldvreemde kwast.

Nu gaat hij alleen nog maar naar het kerkhof en de supermarkt. En dan opeens de uitnodiging van de buren...

Mijn vader wacht nog steeds op een reactie van mij. Ik schrik een beetje. Ik was zo in gedachten verzonken, dat ik hem vergeten was. Hoe lang staat hij al in de deuropening op kooktemperatuur te komen? Twee minuten? Drie? Een kwartier?

"Met de ramen en de deuren dicht hebben we geen last van het kabaal," zeg ik.

"Dat heb ik ook gezegd, maar ze staan erop dat we langsgaan."

"Ga je?" wil ik weten.

"Gaan *we*?" verbetert mijn vader me. "Ze hebben *ons* uitgenodigd, Lowie."

Hij verwacht natuurlijk dat ik over asociale vogels en wereldvreemde kwasten begin, net als mijn moeder, maar dat doe
ik niet. Hij hoeft van mij ook niet te miauwen of muizen te
vangen!

"Gaan *we* dan?" verbeter ik mezelf.

Hij haalt zijn schouders op.

"Ik weet het niet," mompelt hij. "Ik weet het echt niet. Ik heb
eigenlijk geen zin."

"Dan gaan we toch niet, pa."

Hij kijkt me kribbig aan.

"Zo eenvoudig is dat niet," bromt hij. "Een mens kan moeilijk weigeren. Nieuwe buren... Het zijn aardige mensen. Ze
willen ons op een barbecue uitnodigen. Ik..."

"Dan gaan we toch maar," zeg ik vastbesloten.

Maar ook dat antwoord zint mijn vader niet.

"Ik val hier nog om van de warmte," blaft hij en hij trekt mijn
kamerdeur dicht.

Ik hoor hem de trap afstommelen.

De schoenzool

Ik klem mijn tanden op elkaar en probeer een puntje van de pizza te snijden. De champignonplakjes zijn verschrompeld tot kruimels. Op de gesmolten kaas drijven donkerbruine vlekken. De pizzarand krult in alle richtingen, is keihard en heeft de kleur van steenkool. Mijn vader is duidelijk te veel met zijn marionettenbroek bezig geweest en heeft te weinig naar de oven gekeken.

Door het raam zie ik rookpluimen opstijgen uit de tuin van de buren. Een barbecuegeur dringt onder de tuindeur en door de raamkieren ons huis binnen. De rook en de geur ontgaan ook mijn vader niet. Hij kijkt gepikeerd naar buiten en krabt zenuwachtig in zijn haar.

"Ze hebben de barbecue al aangemaakt," zucht hij.

"Tja," zeg ik.

"En wij zitten hier," voegt hij er geërgerd aan toe.

Ik kan alleen maar knikken want ik heb net een korst pizza in mijn mond gestopt en kauw alsof mijn leven ervan afhangt. Zo'n taaie hap krijg ik niet elke dag tussen de kiezen. Mijn vader had evengoed schoenzolen kunnen serveren.

"Het is niet eerlijk," moppert hij. "Ze verwachten ons."

Ondertussen heeft ook hij een stuk schoenzool tussen zijn tanden gepropt. Blaar, de koe en herkauwkampioene, zou jaloers op ons zijn. Straks breken onze tanden nog. Opeens legt mijn vader zijn vork en mes onzacht op de rand van zijn bord. Verschrikt door het gekletter veer ik op.

"Die pizza is waardeloos," sist hij.

"Ach, het valt wel mee," mompel ik, denkend aan de miauwende hond en de aap met tafelmanieren.

"Kom, we gaan," zegt mijn vader. "Neem een douche en trek een schoon T-shirt aan."

Hij overdondert me. Eerst zijn bestek op zijn bord laten neer-vallen en dan doodleuk verklaren: "We gaan." Dat ben ik van hem niet gewend. Is de warmte hem soms naar het hoofd ge-stegen? Ik loop richting broeikas om een T-shirt te pakken. Ik pak er een dat onder aan de stapel ligt en duw er mijn neus in. Ik snuif de geur op. Dat T-shirt heeft mijn moeder nog gewassen. Mijn vader gebruikt een ander wasmiddel. Ik wou dat het T-shirt een tweede huid werd, zodat ik die geur voor eeuwig in mijn neus kan meedragen.

Ik poets mijn tanden en haal vluchtig een borstel door mijn haren. Met een paperclip pruts ik de rouwranden van onder mijn nagels vandaan. Als ik naar beneden ga, hoor ik in mijn vaders atelier water uit de kraan stromen. Ik loop naar bin-nen. Mijn vader trekt een pijnlijke grimas en houdt een stuk aluin tegen zijn wang gedrukt. Hij heeft zich geschoren en bloedt als een varken. Het is niet de eerste keer dat dit hem overkomt.

"Je moet het mesje tijdig vervangen," zeg ik.

Dat heeft mijn moeder wel honderd keer tegen hem gezegd. Mijn vader pakt het mesje van het aanrecht en bekijkt het van dichtbij. In de randen zitten bramen. Geen wonder dat hij zich verwond heeft.

"Je hebt gelijk," mompelt hij.

Met de aluin nog steeds tegen zijn wang gedrukt, gaat hij naar de kelder om een fles wijn te halen.

"Een mens kan toch moeilijk met lege handen gaan," hoor ik hem zeggen.

Ik weet niet of hij het tegen mij heeft of tegen zichzelf.

Blije schapen

Tien minuten later staan we op de stoep van de nieuwe buren. Mijn vader met zijn wangen vol schrammen en een pleister onder zijn neus. Ik hoor hem een paar keer diep in- en uitademen. Ik weet maar al te goed hoe hij zich voelt. We zijn uit hetzelfde hout gesneden. Ook mijn ademhaling slaat op hol. Alsof er in dit huis een vreselijk monster wacht dat ons zal verscheuren. Mijn vaders wijsvinger trilt als hij die naar de deurbel uitsteekt. Mijn benen voelen aan als slappe spaghetti en in mijn knieën sluipt een knik. Nog voor mijn vaders wijsvinger de bel raakt, zwaait de voordeur open. Dit had hij niet verwacht. En ik ook niet. Ik zie hem schrikken. Het is het meisje van het caravantrapje. Ze draagt een gifgroene jurk waarvan je ogen pijn beginnen te doen als je er lang naar kijkt.
"De buren zijn er!" schreeuwt ze uit volle borst.
Het klinkt als een vreugdekreet. Dat ze mollig is, heb ik meteen gezien. Ze heeft ook bijzonder korte armen en benen. Haar ogen staan scheef en ze heeft een extra huidplooi over haar binnenste ooghoeken. Chinese ogen zonder Chinees te zijn. Ze is een mongooltje, een kind met het Downsyndroom. Dat had ik niet gezien vanuit mijn dakraam!
Het meisje lacht heel breed naar ons en begint ons dan ongeneerd van kop tot teen te bekijken. Terwijl ze dat doet, piept een dikke, gegroefde tong uit haar mond. Haar bolle wangen, de tong die uit haar mond hangt... Door dit alles lijkt ze op een kleuter. Een kleuter in een veel te groot lichaam. En toch denk ik dat ze ouder is dan ik. Ze draait zich even om.
"Die meneer heeft een pleister onder zijn neus," gilt ze.
"Laat de meneer met pleister maar binnen," horen we een lachende vrouwenstem.

20

Het meisje houdt haar hoofd schuin en kijkt mijn vader lief aan.

"Heb je een krab van een poes gehad?" wil ze weten.

Mijn vader schudt zijn hoofd.

"Gesneden bij het scheren," antwoordt hij.

Er verschijnt een denkrimpel boven haar platte neus en ze legt een wijsvinger op haar wang. Haar pinken zijn klein en krom.

"Doet dat pijn?" vraagt ze dan.

"Een beetje," antwoordt mijn vader.

"Mm," zegt ze. "Bij schapen niet. Die zijn blij dat ze hun wol kwijt zijn."

"Juist," zegt mijn vader.

Ik zeg maar niets. Herders gebruiken vast betere messen dan mijn vader. Met een scheermes als dat van hem zouden er maar weinig blije schapen zijn.

"Linde, je moet niet de hele tijd staan kletsen in de deurope-ning," horen we de vrouwenstem zeggen. "Laat die mensen toch binnen."

Maar Linde heeft daar geen oren naar.

"Eerst nog even mijn nieuwe oorbellen tonen," fluistert ze on-deugend.

Ze tilt haar vlechten op en schudt apetrots haar hoofd heen en weer. In haar kleine oren hangen kleurige olifantjes met belletjes aan hun poten. De olifantjes hangen niet in even-wicht, want het ene oor staat wat hoger dan het andere. Het is een flapoor.

"Hoor je ze klingelen?" vraagt ze met sterren in haar ogen.

Mijn vader en ik knikken.

"Leuk, hé?"

Mijn vader en ik knikken opnieuw. De heren van het knik-kende clubje.

"Linde, sta je nu nóg bij de deur?"

De vrouwenstem klinkt dwingend. Het meisje slaat een hand voor haar mond.

"Oeps," lacht ze. "Snel, anders wordt mama boos."
De heren van het knikkende clubje lopen braaf achter het mongooltje aan.

Allebei met een L

Nergens groeien er nog paardebloemen of stinkende gouwe in de vloer en de klimop is ook verdwenen. De muren zijn geel geverfd en er liggen tapijten op de vloer. Er staan meubels en snuisterijen. Het ruikt er naar zeep. Zeep vermengd met een vleugje barbecue van buiten. Een stal die in een huis omgetoverd werd. Mijn vader en ik kijken bewonderend om ons heen.

De buurvrouw komt uit de keuken terwijl ze haar natte handen aan een vaatdoek droogwrijft.

"Ik was net sla aan het spoelen en wortels aan het raspen," zegt ze en ze geeft mijn vader en mij een koele hand.

"Dag Katrien," zegt mijn vader.

Het verbaast me eerst dat mijn vader haar naam kent, maar dan snap ik het. Hij heeft de nieuwe buren natuurlijk al ontmoet toen ze ons kwamen uitnodigen.

"Ik dacht dat Linde jullie nooit zou binnenlaten," lacht Katrien. "Nogal een babbelkous, hé, mijn dochter."

Linde steekt speels haar tong uit naar haar moeder.

"Mama!" pruilt ze terwijl ze aan de zoom van haar jurk frunnikt.

Katrien is stevig gebouwd. Haar benen steken als meerpalen uit de broekspijpen van haar short. Ze heeft halflang, blond haar dat in een staartje is samengebonden. Mijn moeder was veel kleiner en ook slanker. Haar benen waren luciferstokjes vergeleken met die van Katrien.

Onze bewonderende blikken zijn haar niet ontgaan.

"Ja, er is hier veel veranderd, hé?" zegt ze.

"Ongelooflijk," antwoordt mijn vader.

"We hebben de hele familie opgetrommeld om mee te helpen," legt Katrien uit. "Met man en macht hebben we gewerkt."

Dat heb ik gezien vanuit mijn dakraam, maar mijn lippen blijven verzegeld.

"En dat met die hitte," voegt ze eraan toe. "Sloten water en cola hebben we erdoorheen gejaagd. Wat een zomer, hé? Van mij mag het wat frisser zijn."

Er valt een stilte. Katrien kijkt naar mij en dan weer naar mijn vader.

"Dat is dus je zoon," zegt ze glimlachend.

"Ja, dat is Lowie," mompelt mijn vader binnensmonds.

"Hij lijkt op je."

Ik hou er niet van als mensen zo naar me kijken. Ook mijn vader weet zichzelf geen houding te geven en hij duwt dus maar de wijnfles in de handen van de buurvrouw. Hij laat de fles te vroeg los en het scheelt geen haar of zijn presentje ligt meteen aan diggelen in de nieuwe woonkamer. Wat is hij toch een kluns! Het is maar goed dat Katrien bij de pinken is en als een volleerd jongleur de hals van de fles op het juiste moment te pakken heeft.

"Dat hoefde echt niet," zegt ze vriendelijk.

Mijn vader haalt schaapachtig zijn schouders op.

"Er staat buiten een aperitiefje klaar. Wijs jij Wim en Lowie de weg naar de tuin, Linde? Ik kom zo meteen."

Linde huppelt voor ons uit. Niet als een sierlijk paardje. Daar zijn haar benen te dik en te kort voor. Ze doet me eerder aan een jonge olifant denken. Net voor we de klapdeur naar de tuin bereiken, draait ze zich om. Ze prikt met één van haar dikke vingertjes in mijn vaders buik.

"Jij bent Wim," zegt ze.

Haar vinger verhuist nu naar mijn buik.

"En jij bent Lowie."

Mijn vader en ik houden de reputatie van de club hoog en knikken. Op Lindes lippen verschijnt opeens een brede glimlach.

Ze begint wild in haar korte, brede handen te klappen en schudt haar hoofd zodat haar dunne, blonde vlechten om haar heen zwiepen. Ik snap het niet en kijk mijn vader verbaasd aan. Ook hij kan Lindes vrolijkheid niet vatten en haalt zijn schouders op.

"Lowie en Linde, allebei met een L!" juicht ze uitgelaten.

Linde heeft niet veel nodig om blij te zijn. Ze had blijkbaar meer enthousiasme van mijn kant verwacht en geeft me een por tegen mijn ribbenkast.

"Vind je dat niet leuk?" roept ze. "Allebei met een L!"

"Ja, ja... natuurlijk," stamel ik.

"Erg leuk," zegt nu ook mijn vader.

Ik denk aan Lander, de grootste klier van de klas. Zijn naam begint ook met een L.

Een vredig volkje

We hebben amper een voet in de tuin gezet of Lindes vader stevent op ons af en schudt ons de hand. Hij is een rijzige, slanke kerel, een kop groter dan mijn vader.

"Welkom," zegt hij.

"Dat is Mark," zegt mijn vader.

Mark geeft mij een knipoog.

"Jij moet Lowie zijn."

"Lowie en Linde, allebei met een L," joelt Linde opnieuw terwijl ze in het rond begint te huppen.

"Dat heb je goed opgemerkt," prijst Mark. "Bravo!"

Die bravo doet Linde nog meer hopsen en de jonge olifant ontpopt zich tot een wilde indiaan.

"Nu worden Lowie en ik zeker dikke vrienden, hé papa?"

Mark kijkt zijn dansende dochter glimlachend aan.

"Wie weet," antwoordt hij.

"Lowie en Linde, Lowie en Linde, Lowie en Linde..." schalt de squaw luidkeels. Ze omsingelt me en maakt bokkensprongen om me heen. Haar vreugdedans overweldigt me en doet het bloed naar mijn wangen stijgen. Ik sta er onwennig bij en wurm mijn handen in mijn broekzakken. Een zielige cowboy die straks aan een totempaal vastgebonden wordt. De buurman heeft mijn tomatenwangen opgemerkt.

"Zo is het wel genoeg, Linde," zegt hij kordaat.

De squaw ploft met een pruillip op een tuinstoel neer, kruist haar mollige armen op haar borst en staart boos voor zich uit. Mark doet alsof hij dat niet ziet en wijst twee tuinstoelen aan die naast elkaar staan.

"Ga toch zitten," zegt hij.

Mijn vader en ik nemen plaats. Mijn vader, helemaal in de ban van de squaw, haalt bij gebrek aan een vredespijp zijn

pakje sigaretten te voorschijn.

"Vind je het erg als ik rook?" vraagt hij aarzelend.

"Helemaal niet, de muggen zullen dan misschien wegblijven," zegt Mark lachend.

Dat moet de buurman geen twee keer zeggen. De muggenverdelger steekt meteen een sigaret op. Mark tilt een fles uit een ijsemmer.

"Hadden jullie geen oordopjes nodig toen we aan het verbouwen waren?" wil hij weten.

"Nee hoor," mompelt mijn vader lurkend aan zijn sigaret. "We hadden er toch helemaal geen last van, Lowie?"

Ik schud mijn hoofd. Mark zet een glas voor mijn vader neer en vult het tot aan de rand. Dan schenkt hij zijn eigen glas vol en tikt ermee tegen dat van mijn vader.

"Dit tropisch weer vraagt om een koel wijntje," zegt hij. "Dat we goede buren mogen worden. Proost."

"Goede buren," papegaait mijn vader en hij neemt een flinke slok.

Mark gaat naast Linde zitten die nog steeds bokkig voor zich uit zit te staren. Hij duwt een kom met olijven en kaasblokjes onder mijn vaders neus.

"Linde, zorg jij voor Lowie?" vraagt hij.

Ze maakt een lange neus naar haar vader en komt voor me staan. Haar ogen zijn blauw, lavendelblauw... Zouden haar ouders daarom de deuren en ramen lavendelblauw geverfd hebben? Aan de rand van dat blauw zitten witte vlekjes. Dat heb ik nog nooit eerder bij iemand gezien. Mijn moeder had een gouden biesje om haar iris. Ook dat vond ik bijzonder.

"Cola en chips?" vraagt Linde. Ik knik. Mark rekt zich uit om haar een speelse tik op de billen te geven.

"Flinke meid!" zegt hij.

Linde dartelt vrolijk naar de keukendeur. Mark kijkt haar vertederd na.

"Als Linde boos is, duurt dat hooguit vijf minuten," zegt hij trots.

28

"We kunnen nog veel van haar leren," zegt mijn vader.
Een vlot antwoord voor een stijve hark als mijn vader. Hij
scoort meteen.
"Dat vind ik ook," zegt Mark lachend en het glas van mijn vader wordt als beloning bijgevuld. Ik hoor de deur dichtklap-
pen en kijk meteen op. Linde komt met een glas cola en een
kom chips aangesjokt. Ze loopt behoedzaam en kijkt voort-
durend naar het glas. Het is duidelijk dat ze niet wil morsen,
maar toch gaat er af en toe wat cola over de rand en belandt
in het gras.
"Ik hoop dat er nog wat overblijft," zegt Mark en hij glimlacht.
Eigenlijk verdien ik een uitbrander. Ik betrap er mezelf op
dat ik mijn ogen niet van Linde kan afhouden. Gehandicap-
ten aangapen is niet netjes, zei mijn moeder altijd. Hoe moeten die mensen zich dan wel voelen? Linde lijkt er zich niks
van aan te trekken. Integendeel, ze lacht als ze me naar haar
ziet kijken. Natuurlijk zag ik al eens eerder mongooltjes. Op
straat en op televisie in een of ander praatprogramma, maar
ik heb er nooit eentje echt ontmoet, van zo dichtbij. Misschien dat mijn blik daarom de hele tijd op Linde is vastge-
pind. Mongooltjes lijken op elkaar, alsof het allemaal broers
en zusjes zijn: scheve ogen, korte nek, mollige armen en benen... Een vredig volkje van een verre planeet, dat nooit langer dan vijf minuten boos is.
"Natuurlijk zijn niet alle kinderen met het Downsyndroom zoals onze Linde," hoor ik Mark zeggen. "Sommigen zijn agres-
sief, hebben een zware mentale handicap, ernstige hartproble-
men of darmstoornissen. Ons meisje is gezond en oneindig
lief. We hebben het getroffen."
Een volkje van een verre planeet, waarvan *sommigen* nooit
langer dan vijf minuten boos zijn, verbeter ik mezelf. De mongooltjes die ik eerder zag, hadden een pagekop en droegen
oubollige kleren. Met haar vlechten en gifgroene jurk ziet
Linde er anders uit. Guitig. Ze doet me aan Pipi Langkous
denken. Pipi Langkous met het Downsyndroom. Pipi zet het

glas cola voor me neer, grabbelt in de kom en wurmt eensklaps een handvol chips tussen mijn lippen. Dit had ik niet verwacht en ik hap verschrikt naar lucht. Er schiet een stukje in mijn luchtpijp. Ik verslik me en krijg een enorme hoestbui. Tranen stromen over mijn wangen.

"Lowie kan echt wel alleen eten, Linde," bromt Mark.

Door mijn geblaf heb ik niet eens gemerkt dat Katrien aan de tuintafel is komen zitten.

"Gaat het?" vraagt ze bezorgd.

Mijn luchtpijp is weer vrij en ik kan eindelijk ademhalen. Ik wis de tranen van mijn gezicht en neem een flinke slok cola.

"Het gaat," antwoord ik.

"Wat zeg je dan?" vraagt Katrien en ze kijkt haar dochter boos aan.

Linde kijkt me eerst als een geslagen hondje aan, maar opeens glijdt weer die brede glimlach over haar gezicht.

"Het spijt me," zegt ze opgewekt. Te opgewekt voor een geslagen hondje.

Ik dwing mezelf om naar de tuin te kijken en eventjes niet te staren naar de scheve ogen en de handen met worstvingertjes van mijn buurmeisje.

De wildernis is niet meer. Er is flink gemaaid en gesnoeid in de tuin, maar de lindeboom staat er nog steeds en een paar vlierbomen ook. Ook de hoek met braamstruiken is gebleven. Mijn moeder zou hier nog altijd haar weg vinden.

De knuffelpartij

Katrien ratelt aan één stuk door, Mark is een goede verteller en Linde snatert erop los: een ideaal gezelschap voor mijn vader en mijzelf. Laat de anderen maar praten. Dan valt het minder op dat wij zwijgers zijn. Het duurt langer dan gepland voor het vlees op de barbecue gaar is, want het vuur is halverwege het bakken gedoofd. Mark excuseert zich - zoiets is hem nog nooit overkomen - en mijn vader vindt het niet erg, want zijn glas wordt ondertussen almaar bijgevuld en zijn schoorsteen draait op volle toeren om muggen weg te jagen. Dat wordt hoesten en boven de wc-pot hangen vannacht.

Iedereen ziet scheel van de honger (of van de wijn) als er eindelijk iets eetbaars op de borden ligt.

Als er niet één enkele spies of braadworst meer op de barbecue ligt, is het bedtijd voor Linde. Ze moet de volgende dag al vroeg naar de logopediste. Dikke tranen druppen op haar jurk. Katrien trekt Linde op haar schoot om haar te troosten.

"Waarom ben je verdrietig, schat?" vraagt ze.

Linde duwt haar gezicht tegen de schouder van haar moeder.

"Ik wil Lowie mijn karretje laten zien en nog wat met hem spelen," snikt ze.

"Je karretje laten zien... Daar heb je nog alle tijd voor, Linde. We wonen nu naast Lowie. En om met Lowie te spelen is het nu echt wel veel te laat, lieveling."

Katrien laat haar vingers als spinnen over Lindes hoofd kruipen. Tussen de snikken door klinkt gegiechel.

"Dan kom je toch morgen even langs om met Lowie te spelen," flapt mijn vader eruit.

Te veel wijn maakt zijn tong los en dan zegt hij altijd de verkeerde dingen. Ik haat het als hij in mijn plaats denkt of praat. Hij doet het zelden, maar toch... Eén iemand heeft hij alvast

31

gelukkig gemaakt. Linde springt van haar moeders schoot en vliegt hem om de hals. Ze drukt een paar natte zoenen op zijn gehavende wangen. Een uitbundigheid waar mijn vader moeilijk mee om kan gaan. Hij maait met zijn armen in de lucht alsof er een nest wespen om zijn oren zoemt. Zijn verdiende loon. Maar mijn leedvermaak wordt meteen afgestraft. Linde geeft iedereen een nachtzoen, maar ik krijg behalve een zoen ook een extra knuffel. Knuffel is eigenlijk niet het juiste woord. De jonge olifant stort zich op me, grijpt mijn armen beet en drukt me tegen zich aan.

"De liefde van Linde is nogal uitgesproken," lacht haar vader.

Nogal uitgesproken? Dat kind is een echte pletwals. Ze verplettert me, verdikke. Ik hou hier minstens een heleboel blauwe plekken aan over. De wurggrepen houden niet op. Mijn keel wordt zowat dichtgeknepen en ik kan nauwelijks ademhalen. Morgen staat er in de krant: twaalfjarige jongen verstikt door mongooltje.

"Linde, nu is het wel genoeg!" hoor ik Katrien roepen.

Net voor ik bezwijk, laat Linde me los. Ik hang half buiten westen in mijn stoel als ze me met een allerliefst stemmetje goedenacht wenst.

"Slaap lekker," piep ik terug.

Meer kan ik niet uitbrengen.

Katrien neemt Linde bij de hand en samen lopen ze naar binnen. Bij de deur draait Linde zich nog even om en wuift naar me. Ik zwaai met een slap handje terug. Ik ben nog steeds tureluurs.

Terwijl Katrien Linde onder de dekens stopt, sta ik op.

"Ik ga ook maar eens slapen, pa."

Mijn vader vist de huissleutel uit één van zijn broekzakken en legt deze voor me neer.

"Ik blijf nog wat," zegt hij.

"Ja, gezellig," zegt Mark. "Kunnen we nog wat keuvelen bij een slaapmutsje."

Ik heb mijn portie gezelligheid wel gehad voor vandaag en door de grote mond van mijn vader komt er morgen ook nog een vervolg. Ik zou die slaapmuts met plezier over zijn ogen willen trekken.

Mooi kaal is niet lelijk

Als ik in de keuken kom, zit mijn vader voorovergebogen aan de ontbijttafel. Hij komt zo te zien net uit bed en ziet er niet uit. Zijn onderhemd is helemaal gekreukt en zijn haren pieken alle kanten uit. Onder zijn ogen zitten enorme wallen. Hij staart in een kop koffie en zijn adem piept en schuurt als een versleten kastdeur. Zijn gezicht is lijkbleek. Naast zijn mok ligt een strip maagtabletten. Zo te zien heeft hij vooral zichzelf verdelgd in plaats van muggen.

Ik schud wat cornflakes in mijn mok, schep er een lepel suiker op en giet er een flinke scheut melk over. Het knisperen begint en ik lepel mijn mok leeg. Mijn vader harkt met een hand door zijn haar. Elke keer komen er haren mee die dan aan zijn vingers blijven kleven. Hij kijkt ontzet, pulkt de haren beverig van zijn vingers en laat ze op de vloer dwarrelen.

"Ik word kaal," zegt hij met een stem die aan oud roest doet denken.

"Sommige mannen verliezen hun haar als ze ouder worden," antwoord ik. "Dat is hormonaal, pa."

Mijn woorden doen mijn vader als een verkleumd paaskuiken in elkaar duiken. Na de kool die hij me gisteren gestoofd heeft, hoeft hij van mij geen steun meer te verwachten. Maar hij blijft vriendelijk.

"Aardige mensen, hé?" zegt hij.

"Valt wel mee," antwoord ik. "De moordpoging buiten beschouwing gelaten."

Hij kijkt me met waterige ogen aan. Ogen waar een paar goudvissen in kunnen zwemmen, zoveel water bevatten ze.

"Dat meisje komt na de middag even langs," zegt hij zacht.

"Dat heb je weer goed geregeld," blaf ik.

"Ach Lowie, na een uurtje gaat ze weer naar huis," probeert hij mij te troosten.

Dat weet ik nog niet zo zeker. Misschien heeft dat lieve mongooltje een uitgebreide knuffelpartij met dodelijke afloop gepland.

"Je weet dat ik daar een hekel aan heb, pa," antwoord ik bits. Bij gebrek aan een witte vlag vraagt mijn vader met een wapperende hand om een wapenstilstand. Het gevecht met de kater valt hem zwaar en hij geeft zich meteen over. Zonder tegenstribbelen bekent hij schuld.

"Ik weet het," zucht hij. "Dat had ik nooit mogen doen."

Dat hij dat zegt. Hij die anders nooit schuld bekent! Het stemt me op slag een stuk milder. Ik spoel mijn mok om en zet die in het afdruiprek. Mijn vader zit nog steeds in zijn haar te woelen.

"Mooi kaal is ook niet lelijk," zeg ik.

Het nijlpaard

Na het ontbijt sleept mijn vader zich naar zijn atelier en neemt zijn palet en penselen. Hij moet opschieten met dat doek want meneer Chapeau, de galeriehouder, komt het werk vanavond al bekijken. Een spannend moment voor mijn vader. De marionet draagt inmiddels een grijze broek met zwarte stippen. De pop lijkt opvallend goed op mijn vader. Ik denk dat het een zelfportret is, maar ik durf het hem niet te vragen. De intrieste blik in de poppenogen en de neerhangende mondhoeken vreten aan mij. Zou mijn vader zich echt zo ellendig voelen? Hij staat wat te lummelen voor het doek en brengt hier en daar wat verf aan met zijn penseel. Zo gaat het altijd als een schilderij bijna af is. Dat slaapmutsje van de vorige avond weegt blijkbaar zwaar door, want al na vijf minuten gaat mijn vader kreunend op de bank liggen.

's Middags zet ik een diepvriesmaaltijd in de magnetron. Ik schep ook wat op een bord voor mijn vader, maar hij heeft geen trek.
"Mijn maag is in de knoop," klaagt hij.
En nog geen klein beetje ook. Hij puft en boert erop los. Als mensen van dieren afstammen, dan is een van zijn voorvaderen vast een nijlpaard.
Als ik klaar ben met eten spoel ik mijn bord om in de keuken. Ik heb het nog maar net in het afdruiprek gezet als de bel gaat. Het nijlpaard probeert krampachtig overeind te krabbelen en hijgt daarbij alsof het aan het sterven is.
"Ik ga wel," roep ik. Ik sluit de deur van zijn atelier en loop naar de voordeur.

Flensjes

Voor mij staat Linde in een knaloranje tuinbroek met een streepjes T-shirt en met een lach van het ene oor naar het andere. Ze houdt haar hand als een toeter voor haar mond.
"Dag Lowie!" trompettert ze voor de hele straat.
Onvoorspelbare griet. Straks staat de hele buurt op de stoep. Ze doet me steeds meer aan Pipi Langkous denken.
"Kom erin," mompel ik.
Linde dendert achter me aan. Als we in de keuken komen, vraagt ze met een verjaardagsgezicht wat we gaan doen. Daar heb ik eigenlijk nog niet over nagedacht. Wat kan ik met haar doen? Een tekening maken? Ganzenbord spelen? Linde wipt ongeduldig van het ene been op het andere.
"Toe nou, Lowie," smeekt ze. "Vertel het me. Wat gaan we spelen?"
Haar bedelogen maken me week en doen de smoezenprins in mij ontwaken.
"Het is nog een verrassing," lieg ik. "Euch... ik moet eerst even naar het toilet."
Op die manier win ik tijd om iets te verzinnen. Op het toilet ploeg ik mijn hoofd om, maar mijn inspiratie is ver te zoeken. Tekenen? Dat kan ze thuis ook. Een gezelschapsspelletje? Daar heb ik zelf niet veel zin in. Uiteindelijk kom ik in het geheime hoekje van mijn hoofd. Daar gaat een lichtje branden. Mijn moeder bakte vroeger flensjes met me. Dat vond ik altijd ontzettend leuk. Linde en ik kunnen er meteen een hele stapel bakken. Dan is er ook vanavond wat te eten, want van het nijlpaard met zijn katerskop moet ik vandaag niet veel verwachten. Ik trek het toilet door en stommel de trap af. In de keuken was ik mijn handen. Linde komt naast me staan.
"En?" vraagt ze nieuwsgierig.

"We gaan flensjes bakken," kondig ik aan.

Ze knijpt haar scheve ogen tot spleetjes en op haar voorhoofd verschijnen diepe fronsen.

"Flensjes? Wat zijn dat?"

"Kleine, dunne pannenkoeken," antwoord ik.

Pannenkoeken kent ze wel. Ze begint dolblij rond de keukentafel te dansen.

"Lekkere pannenkoeken," gilt ze en ze huppelt als een op hol geslagen pony rond de tafel.

"Ssst," probeer ik haar in te tomen. "Mijn vader slaapt."

"Ik weet het," fluistert ze.

Hoe ze dat weet, is mij een raadsel, want het wrak ligt in zijn atelier en de deur is dicht. Linde laat me niet de tijd om een verklaring te vinden. Daarvoor moet ik wachten tot vanavond. Ze komt naast me staan en steekt haar handen uit. Haar vingers zitten onder de verf. Dat had ik niet eerder opgemerkt. Waarschijnlijk heeft ze thuis zitten knoeien met verf. Ik leg het stuk zeep van mijn handen in die van haar. Ze laat het onhandig tussen haar dikke vingers glibberen en de zeep valt in de gootsteen. Ik leg de zeep opnieuw in haar handen en draai de kraan open. Ze houdt haar handen onder de waterstraal. De verf komt er moeilijk af en ik geef haar de nagelborstel van mijn vader. Ik snap niet waarom haar ouders haar niet met waterverf laten knoeien in plaats van met olieverf. Na een hele poos flink schrobben zijn haar handen eindelijk schoon.

Ik pak het kookboek van de plank, ga op een stoel zitten en begin te bladeren. Linde komt braaf naast me zitten. Bij het hoofdstuk gebak en zoetigheid sla ik het boek open. Ik laat mijn vinger over een bladzijde glijden en stop bij het woord 'flensjes'.

"Hier staat wat we nodig hebben," zeg ik.

"Wacht," roept Linde en ze duwt haar vlechten achter haar oren. Ze steunt met haar ellebogen op tafel, haar kin rust op haar handpalmen.

"Zo kan ik beter luisteren," zegt ze.

Door de vlechten vallen haar flapoortjes nog meer op. Gek kind. Ik moet glimlachen als ik naar haar kijk.

"Vierhonderd gram zelfrijzende bloem," lees ik hardop.

"Bloem," aapt Linde me na.

Ik loop naar de kast en pak de weegschaal en de voorraaddoos met bloem. Ik zet alles op tafel en wijs ernaar.

"Weeg maar af," zeg ik.

Linde stroopt meteen de mouwen van haar T-shirt op en pakt de doos met bloem beet. Haar tong hangt uit haar mond, zo erg doet ze haar best. Ze schudt de helft van de bloem in de weegschaal en de rest vliegt in het rond. De bloem stuift in enorme wolken op, belandt op ons gezicht, dringt onze neusgaten binnen en bedekt de tafel en de vloer. Linde heeft in een paar seconden de keuken in een heus sneeuwlandschap omgetoverd. Haar wangen en kleren zitten helemaal onder de bloem en ik kan moeiteloos voor bloemzak doorgaan. Ze slaat haar hand voor haar mond.

"Oeps," zegt ze.

Dan kijkt ze me aan en begint uitbundig te lachen.

"Je bent helemaal wit," giert ze.

Het werkt aanstekelijk en ik voel mijn mondhoeken krullen. Lachend klop ik de bloem van mijn kleren en spoel de bloem van mijn gezicht. Mijn lach stuitert als een balletje in mijn hoofd en galmt na.

Het is de eerste keer dat ik mezelf hoor lachen sinds mijn moeder er niet meer is. Het voelt vreemd aan. Lachen en mijn moeder horen gewoon bij elkaar. Heel even heb ik het gevoel dat ze op kousenvoeten de kamer is binnengeslopen en stiekem meegniffelt. Het zal wel inbeelding zijn, maar ik geniet van haar aanwezigheid.

Met een stoffer en een blik ruim ik de bloem op die op de vloer is gevallen. Even later is de keuken weer schoon en zit de juiste hoeveelheid bloem in de beslagkom. Ik pak een karton met melk uit de koelkast.

"We hebben ook nog zestig gram fijne witte suiker nodig," zeg ik.

"Mag ik afwegen?" stelt Linde enthousiast voor.

"Nee," zeg ik snel. "Nu is het mijn beurt."

Ik heb geen zin om de keuken voor de tweede keer schoon te maken of om als suikerbol te eindigen. Ik vis twee pakjes vanillesuiker uit een lade en een karton eieren uit de koelkast en zet alles op tafel.

"We kunnen beginnen," zeg ik.

"Hoera!" roept Linde en ze klapt in haar handen.

Ik wijs naar het schaaltje met suiker en naar de kom.

"Doe jij maar de suiker bij de bloem. Heel voorzichtig!" waarschuw ik haar.

Linde tilt het schaaltje met beide handen op. Langzaam schudt ze de suiker bij de bloem.

"Heel goed!" zeg ik en met een houten lepel vermeng ik de suiker met de bloem. Ik krijg prompt een klapzoen en ben al blij dat daar geen wurggreep op volgt. Ik wijs naar de twee zakjes met vanillesuiker.

"Die moeten er ook nog bij, Linde."

Moeizaam scheurt ze de zakjes open en laat de straaltjes vanillesuiker keurig in de kom stromen. Met de houten lepel maak ik een kuiltje in de bloem.

"Daar moeten de eieren en de melk in," leg ik uit. "Ik breek de eieren, jij doet de melk."

"Yep," roept ze gezwind.

Bijna zonder morsen giet ze de melk in de kom. Dan klapt ze uitbundig in haar handen.

"Goed, hé?" joelt ze, glimmend van trots.

Haar blijheid werkt aanstekelijk.

"Heel goed," zeg ik goedkeurend.

Ik voeg de eieren toe en roer alle ingrediënten tot een glad beslag.

"Tijd om te bakken," kondig ik aan.

Ik loop naar het fornuis, draai een knop om en zet een pan op het vuur. Het klontje boter dat ik in de hete koekenpan gooi, begint meteen te sissen. Lindes uitbundigheid is op slag verdwenen. Ze komt naast me staan en kijkt me somber aan.

"Ik mag niet bij het vuur komen van mama en papa," pruilt ze.

"Dan dek jij toch de tafel," zeg ik.

Haar gezicht klaart meteen op.

"Een feesttafel?" vraagt ze opgetogen.

Ik knik.

"Leuk, leuk, leuk!" schalt ze oorverdovend.

Ik leg mijn wijsvinger op mijn mond.

"Mijn vader slaapt," fluister ik.

Ze tikt tegen haar voorhoofd.

"Dat was ik vergeten," zegt ze.

Ik laat haar zien waar de borden staan en terwijl ik de flensjes bak, dekt Linde de tafel. Tussen het omkeren van de flensjes door help ik haar repen knippen van een oude krant om slingers van te maken en samen vouwen we twee hoeden van papier.

Een halfuur later zit ik met een slinger van krantenpapier om mijn hals en een schots en scheve hoed op mijn hoofd flensjes te eten met mijn buurmeisje. Ik heb een grote stapel gebakken: een toren van flensjes.

"Ik heb nog nooit zo'n lekkere pannenkoeken gegeten," zegt Linde smakkend als ze haar derde flensje op heeft.

Boven haar mond zit een suikersnor.

"Is je mama echt dood?" vraagt ze opeens.

Haar vraag overvalt me nog meer dan haar onverwachte zoenen en knuffels. Ik voel tranen aan de achterkant van mijn oogkassen prikken en slik ze dapper weg. Lindes gezicht loopt vuurrood aan en ze slaat haar ogen neer als een kleuter die weet dat hij iets verkeerds heeft gezegd.

"Het spijt me," zegt ze zachtjes.

"Geeft niet," brom ik. "Neem nog maar een flensje."

Als haar mond vol pannenkoek zit, kan ze niet meer over mijn moeder beginnen. Ik wil dat niet. Ze legt een flensje op haar bord.
"Was ze lief?" vraagt ze heel zacht.
Ik knik en wijs naar het flensje op haar bord.

Verdorie, verdorie, verdorie

Het uurtje met Linde is voorbij gevlogen. Ik kijk verbaasd op als Katrien aanbelt om haar op te pikken. Linde begroet haar moeder uitgelaten. Ze vertelt uitvoerig over de flensjes die we hebben gebakken en zegt dat het heel leuk was. Katrien knipoogt naar me. Dank je wel, staat op haar lippen te lezen.
"Lowie bakt de lekkerste pannenkoeken van de hele wereld, mama!" pocht Linde.
"Is dat zo?" vraagt Katrien.
"En ik heb heel veel geholpen, hé Lowie?"
Ik knik. Linde wil per se dat haar moeder van de flensjes eet.
"Daar heb ik nu geen tijd voor, Linde," sputtert Katrien. "Ik heb papa beloofd om een slaatje te maken voor bij de rijstschotel die hij klaargemaakt heeft."
Ik pak een stapel flensjes van de toren. Mijn vader en ik kunnen tenslotte niet de hele week flensjes eten.
"We hebben er zat," zeg ik. "Neem er wat mee voor straks."
Linde is door het dolle heen. Bij het afscheid nemen knijpt ze haar ogen stijf dicht, drukt me hard tegen zich aan en slaat haar armen om mijn hals.
"Mag ik morgen terugkomen, Lowie?"
"Lowie heeft vast andere plannen," zegt Katrien kordaat.
"Voor een uurtje maar," smeekt Linde.
Haar bedelogen maken me weer helemaal week. De goeierd in mij wordt wakker geschud.
"Kom maar om twee uur langs," hoor ik mezelf zeggen.

Linde en Katrien zijn al een poos de deur uit als ik mijn vader opeens hoor brullen. Ik stuif geschrokken zijn atelier binnen. Hij staat voor zijn schildersezel koortsachtig met zijn handen in zijn haar te woelen terwijl hij zenuwachtig aan een sigaret trekt.

"Wat is er, pa?"

Een overbodige vraag. Ik zie het meteen. Op de eens verdrie-tige marionettenmond is nu een enorme rode streep geschil-derd met omhoog krullende hoeken. De verdrietige touwtjes-pop lacht nu heel breed. Aan de houten armpjes hangen kleu-rige ballonnen. Ik heb meteen door wat er gebeurd is. De verf op Lindes handen, ze wist dat mijn vader sliep...

"Linde," murmel ik.

Mijn vader draait zich bruusk om. Ik schrik, want zijn ogen staren me wild aan.

"Hoezo, Linde?" snauwt hij.

"Terwijl ik naar het toilet was, heeft ze ongetwijfeld..."

"Verdorie," blaft mijn vader woest. "Verdorie, verdorie, ver-dorie..."

"Jij hebt ze uitgenodigd, pa," zeg ik. Laten we eerlijk zijn, het is toch niet *mijn* schuld?

Hij kijkt op zijn polshorloge.

"Verdraaid nog aan toe," mompelt hij. "Over een half uur staat Chapeau hier."

Het heeft mijn vader heel wat moeite gekost om de interesse van Chapeau te wekken. Chapeau is een van de bekendste ga-leriehouders die alleen met de beste kunstenaars in zee gaat. En nu is het bestelde schilderij om zeep...

Mijn vader grabbelt wanhopig een spatel beet, knijpt wat verf uit verschillende tubes en kwakt nijdig kliekjes verf op zijn palet. Gejaagd begint hij de kleuren te mengen. Hij wil nog een en ander proberen te redden voor Chapeau er is, maar hij krijgt daartoe de kans niet. Nog voor hij zijn penseel in één van de verfhoopjes kan dopen, gaat de deurbel. Hard en on-verbiddelijk.

"Wat nu?" sist mijn vader. Hij kijkt me aan met de blik van een rat die in een val zit.

Ik haal mijn schouders op en laat meneer Chapeau binnen.

"Dag Lowie," groet hij vriendelijk.

Meneer Chapeau kent de weg en hij stevent meteen af op het atelier van mijn vader. Hij geeft mijn vader een gemoedelijke schouderklop.

"Alles goed, Wim?"

Meneer Chapeau heeft misschien een neus voor kunst, maar voor de rest is hij stekeblind.

ALLES GOED, WIM... Hoe haalt hij het in zijn hoofd? Mijn vader ziet eruit als een lijkbidder en staat te daveren op zijn benen.

"Meneer Chap... Chapeau," stottert hij met het zweet op zijn voorhoofd, terwijl hij zijn klamme handen aan zijn broek afveegt. "Ik..."

Hij zoekt krampachtig naar de juiste woorden. Meneer Chapeau gaat voor de schildersezel staan, bekijkt het vernielde schilderij van dichtbij, doet een stap achteruit, schuift zijn bril naar het puntje van zijn neus, gluurt over zijn brillenglazen.

"Zo, zo, zo," zegt hij met een bedenkelijke blik.

"Ik... ik weet het..." begint mijn vader zich hakkelend te excuseren. "Het is een... Ik..."

Hij is doodzenuwachtig en wurmt een nieuwe sigaret tussen zijn lippen. Meneer Chapeau grist de bril van zijn neus en wrijft de glazen met de punt van zijn zakdoek op. De bril landt weer op zijn neus en meneer Chapeau kijkt nog eens aandachtig naar mijn vaders marionet die Linde doodleuk van een clownsmond en een tros ballonnen heeft voorzien. Er verschijnt een geheimzinnig lachje om Chapeaus mond en hij fluit zachtjes tussen zijn tanden.

"Het is een meesterwerk, Wim."

Wat een gemene ploert! Zo de draak steken met mijn arme vader! Maar ik heb het bij het verkeerde eind.

"De sombere ondertoon in dit werk," zegt Chapeau gewichtig. "De verdrietige poppenogen, de diepe groeven rond de mondhoeken die ellende verraden en dan die verrassende contrasterende noot: die vrolijke mond, aangebracht in kordate

47

penseelstreken, en de naïef geschilderde ballonnen naast de haarfijne en realistische uitwerking van het personage... Zonder meer een schitterende vondst. Ongelooflijk, fantastisch. Je hebt jezelf overtroffen, Wim."

Meneer Chapeau gaat helemaal uit zijn dak voor het verknoeide schilderij. Mijn vader en ik staan paf. Mijn vader kijkt alsof hij net een voorhistorisch monster heeft aanschouwd, maar hij spreekt meneer Chapeau niet tegen. Aan de mening van meneer Chapeau valt niet te tornen. Je leest het in alle kranten en je hoort het op radio en televisie: Chapeau weet wat kunst is.

"Voor dit werk krijg je een aardig bedrag," kondigt de galeriehouder enthousiast aan. "Beter kan niet. Het benadert de perfectie. Begin maar met vernissen, Wim. Hoe vlugger het droog is, hoe sneller het in mijn galerie een ereplaats krijgt." Mijn vader kan nog steeds geen woord uitbrengen.

"Bovendien," doet de galeriehouder er nog een schepje bovenop, "denk ik dat de tijd rijp is voor een persoonlijke tentoonstelling. Ik heb altijd in je geloofd. Zo te zien ben je er klaar voor. Neem de tijd om nieuwe doeken te creëren, misschien ook een paar beeldhouwwerken, zodat we de wereld kunnen verrassen."

Een persoonlijke tentoonstelling en dan nog wel in de galerie van meneer Chapeau. Een huis met een naam van hier tot in Parijs, volgens mijn vader. De droom van elke kunstenaar.

"Linde is een muze zonder dat ze het zelf beseft..." zegt mijn vader als Chapeau onze straat uitrijdt.

De rest van de zin blijft in zijn keel steken. Om mijn vaders mond verschijnt een krul. De krul wordt breder, ontaardt in een lach. Na al die weken zie ik mijn vader eindelijk weer eens lachen en ook mijn lachspieren beginnen te werken. Weer heb ik het gevoel dat mijn moeder er is.

"Jullie buurmeisje met het Downsyndroom heeft je vaders schilderij tot grote kunst verheven," giechelt ze in het geheime hoekje van mijn hoofd.

Zou mijn vader haar ook gehoord hebben? De droogstoppel staat gierend op zijn dijen te kletsen. Alleen mijn moeder kon hem zo aan het lachen krijgen.

Braambessen en krokodillentranen

De volgende dag staat Linde om klokslag twee uur bij ons op de stoep. Ze draagt een jurk met knalrode papavers erop geborduurd, en met felgele knopen. Eigenlijk heeft ze altijd iets van een kleurboek, maar die schreeuwerige kleren passen perfect bij haar Pipi Langkous-stijl.

Ze houdt het bord waarop de flensjes lagen als een stuur voor haar bolle buik en zodra ik de deur openmaak, rijdt ze met een luid vroem-vroem ons huis binnen. Bij de keukentafel remt ze af.

"Dag Lowie," groet ze vrolijk. "Gaan we weer flensjes bakken? Mama en papa vonden ze heerlijk."

Ik kijk haar verbaasd aan.

"We kunnen toch niet elke keer flensjes bakken," zeg ik.

"Waarom niet?"

Ze tikt met haar hand tegen haar hoofd.

"O ja, mama komt me straks ophalen. Ik mag wat langer blijven. Mama zal nog opbellen."

De deur van mijn vaders atelier zwaait open.

"Dag Linde," groet hij zijn muze. "Ben je met de auto gekomen?"

"Yep," antwoordt ze met een blos op haar wangen en verlegen zet ze het bord op tafel.

"Vond je het mooi?" vraagt ze met pretogen.

"Hoezo?" doet mijn vader alsof hij van niks weet, terwijl hij ons buurmeisje geamuseerd aankijkt.

"Wel, de pop op je schilderij?"

"In het begin niet," antwoordt mijn vader. "Nadien wel. Mijn baas vond het prachtig. Ik ben je zeer dankbaar."

Weer verschijnt die brede glimlach op haar lippen. Van pure blijdschap begint ze in haar mollige handen te klappen.

"Echt waar?"

Mijn vader knikt. Opeens vallen haar handen stil en kijkt ze mijn vader ernstig aan.

"Weet je waarom die pop zo verdrietig was?" vraagt ze zacht.

Mijn vader schudt zijn hoofd.

"Omdat zijn mama dood is," fluistert Linde.

Het is alsof het verdriet van de pop via een onzichtbaar buisje in haar lichaam binnensijpelt. Zo droevig heb ik haar nog niet gezien.

"Daarom heb ik hem die ballonnen gegeven. Zo kan hij een keertje naar de hemel vliegen om zijn mama nog eens te zien. In de hemel is het erg leuk."

Haar woorden raken mijn vader. Ik zie hem ontroerd de andere kant opkijken en ook ik krijg een dikke keel. Maar de ernst op Lindes gezicht ebt snel weer weg en maakt plaats voor vrolijkheid.

"Hij was heel blij met de ballonnen," voegt ze er nog opgewekt aan toe.

"Dat kan ik me voorstellen," mompelt mijn vader.

Hij pakt een kopje uit de kast en loopt naar het aanrecht waar de thermos met koffie staat. De stapel kopjes is enorm geslonken. Ik vraag me af hoeveel koppen er in huis ronddwalen. Mijn moeder zou mijn vader ervan langs geven.

"Wat zijn jullie van plan?" wil de kopjesvreter weten.

"Lowie mag kiezen," roept Linde uitgelaten.

"Weet je waar ik trek in heb?" zegt mijn vader. "In braambessenjam. Ik heb gezien dat de struiken vol bessen hangen die vragen om geplukt te worden."

Linde vindt het een prachtig idee en begint op en neer te springen. Ze komt voor me staan met haar bedelogen.

"Gaan we jam maken, Lowie?"

"Mij best," mompel ik.

Mijn vader loopt weer naar zijn atelier. Hij heeft de marionet net gevernist. Op zijn schildersezel staat nu een wit doek. Hij broedt op een nieuw schilderij voor zijn tentoonstelling.

Ik duw een vergiet in Lindes handen, neem er zelf ook een en pak een emmertje dat onder de wasbak staat.

"Je moet wel uitkijken want braamstruiken hebben doornen en die prikken," waarschuw ik haar.

"Dat weet ik," antwoordt ze. "Zoals rozen, hé?"

Ik knik. We lopen de tuin is. Het is wat frisser dan de afgelopen dagen, maar het is nog altijd vrij warm. Misschien kan ik algauw weer in mijn eigen kamer slapen.

Mijn vader heeft gelijk. De struiken hangen vol rijpe bessen die bijna barsten van al het sap. Terwijl Linde plukt, komt haar tong uit haar mond piepen, omdat ze zo haar best doet. Heel voorzichtig legt ze de braambessen in het vergiet.

"Maakte jij met je mama vroeger ook braambessenjam?" wil ze weten.

"Ja."

"Plukten jullie dan ook bessen, zoals wij nu?"

Ik knik.

"En wat nog?" vraagt ze.

"Hoezo, wat nog?"

"Wat maakten jullie nog?"

"Flensjes," antwoord ik.

"Dat hebben wij ook al gedaan, hé?"

Ik knik.

"En wat nog?"

Verdraaide vraagstaart.

"Limonade van vlierbloesems en gelei van de bessen."

"Hoe zien die bessen eruit?"

Ik wijs over de haag naar een vlierboom die naast de caravan staat.

"Gaan we de volgende keer limonade maken?" wil ze weten.

"Daar is het nu te laat voor. De bloesems zijn uitgebloeid, maar van de bessen kunnen we nog gelei maken."

"Dan doen we dat," lacht Linde enthousiast. "Lowie, kwamen jullie die bessen dan bij ons plukken?"

Ik knik.

"En wat nog?"

"Lindebloesems voor thee."

"Lindebloesems groeien aan de lindeboom, hé?"

Ik word een beetje moe van al die vragen.

"Ja," zucht ik. "Waar anders?"

"In onze vorige tuin had ik ook een lindeboom. Linde en lindeboom."

Ze houdt even op met plukken en tateren en kijkt me vragend aan.

"Ik snap het," antwoord ik. "Allebei met een L."

"Allebei met linde," verbetert ze me.

Muggenziftster!

"Ik wilde mijn boom meenemen, maar mama en papa dachten dat hij dood zou gaan. We zijn blij dat er bij het nieuwe huis ook een linde staat. Nu is dat mijn boom."

Er volgt een verhaal over kabouters en elfjes in lindebomen die bloesems op je hoofd strooien. Ik luister niet, maar brom af en toe wat. Dat houdt Linde aan de praat.

"Een paar stoute kabouters maken propjes van lindebloesems en schieten ze naar het hoofd van hun meester in de kabouterschool. Dat heeft oma allemaal verteld."

"Je oma weet veel," zeg ik. Ik ben allang blij dat Linde niet meer over mijn moeder begint. Ze moet uit dat mamahoekje wegblijven.

Mijn vergiet is bijna tot aan de rand gevuld als Linde opeens oorverdovend begint te gillen. Geschrokken laat ik het vergiet uit mijn handen vallen. De helft van de geplukte braambessen valt in het gras.

"Wat is er?" stamel ik.

"Mijn been bloedt," gilt Linde als een speenvarken dat gekeeld wordt.

Eventjes schrik ik als ik het bloedende been zie, maar dan schiet ik in de lach. Ondertussen staat Linde over haar hele lichaam te beven en huilt ze tranen met tuiten. Wat een actrice. Niemand doet haar dat na.

"Ik heb pijn en jij mag daar niet om lachen," kreunt ze snikkend. "Je bent gemeen."

"Je kan geen pijn hebben," grijns ik. "Het is alleen maar bessensap."

Door de gaten van het vergiet moet bessensap op haar been gedruppeld zijn. Ik haal met mijn vinger wat sap van haar been en proef ervan.

"Zie je wel, het is braambessensap," zeg ik.

Toch is Linde er niet gerust op. Haar schuine ogen worden scheve schoteltjes en met een bevende vinger wrijft ze voorzichtig wat sap van haar been. Ze aarzelt even en dan verdwijnt de vinger langzaam in haar mond. Ze sluit haar ogen om te proeven. Haar gezicht klaart op. Ik veeg met mijn vinger een traan van haar wang.

"Weet je wat dat zijn?" vraag ik.

"Tranen?" raadt ze.

"Bijna juist," antwoord ik. "Krokodillentranen."

"Niet waar. Ik ben toch geen krokodil, Lowie!"

Malle meid. Ik schiet in de lach en schep de bessen die in het gras zijn gevallen weer in het vergiet. Met Linde is het leven in elk geval niet saai. Met haar is er elke keer wel iets nieuws te beleven.

Het karretje

Ik geloof mijn oren niet als Linde doodleuk aankondigt dat ze haar karretje wil halen om de braambessen naar de keuken te brengen. De keuken is amper tien meter van ons verwijderd!

"We kunnen de bessen toch gewoon dragen," sputter ik tegen.

"Het is makkelijker met mijn karretje," roept ze koppig. "Je zult wel zien. Ik ben zo terug."

Ze holt weg. Ik kiep de geplukte bessen in het emmertje en begin een tweede vergiet te vullen. In de tuin van de buren hoor ik Linde jammeren, Katrien een gil slaken en dan Linde gieren dat het maar bessensap is. Gniffelend gooi ik een paar bessen in het vergiet. Pipi Langkous heeft weer toegeslagen.

Mijn tweede vergiet is vol als Linde het tuinpad afrent met een hobbelende kar achter zich aan. De kar is groter dan ik dacht. Het is een zeepkist die lavendelblauw is geschilderd en waarop in koeien van letters haar naam staat. Achteraan is een stok met een vlaggetje vastgemaakt.

"Wat vind je van mijn karretje?" vraagt ze met een stralend gezicht.

"Mooi," antwoord ik.

"Papa heeft het voor mij gemaakt," zegt ze trots.

"Ik heb mama gefopt," vertelt ze. "Ze dacht dat het bloed was."

"Dat heb ik gehoord," antwoord ik.

Ik zie dat haar benen gewassen zijn. Ze komt op haar tenen naast me staan en houdt een hand als een schelp tegen haar mond.

"Straks ga ik wat sap op mijn benen smeren," fluistert ze in mijn oor. "Dan kan ik papa ook beetnemen."

Ze legt haar wijsvinger op haar mond.

"Niet verklappen, hoor."

Waarom ze fluistert is me een raadsel. Haar vader is naar zijn werk en kan haar onmogelijk horen. Maar met Linde moet een mens zich geen vragen stellen. Dat doet zij wel.

"Hebben we al genoeg bessen, Lowie?"

Ik kijk naar de emmer en de vergieten.

"Ik denk het wel."

"Mag ik alsjeblieft wat langer blijven? Mama komt me straks wel ophalen. Ze moet nog een boodschap doen. Mag ik blijven, Lowie?"

Die bedelogen maken me nog weker dan een mossel en ik tuin er blindelings in.

"Oké," mompel ik.

"Het is goe-oed," gilt ze met haar hand aan haar mond naar de tuin van de buren.

"Zeker weten?" hoor ik Katrien roepen.

"Ja-a," brult Linde terug.

Linde klopt op haar kar alsof het een trouwe hond is in plaats van alleen maar een paar geverfde planken.

"Mijn karretje zal het werk doen," zegt ze trots. "We hoeven niet te slepen."

Ze tilt de emmer in haar karretje en zet de vergieten ernaast.

"Jij mag rijden," kondigt ze plechtig aan en ze duwt de stang van de kar in mijn handen. Aan haar gezicht te zien, is dat een hele eer. Ik voel me een volslagen idioot als ik de kar met braambessen naar de keuken trek en Linde als een hofnar voor me uit huppelt.

De hemel

Ik gooi een handvol zout in een teil met water.

"Tegen de beestjes," zeg ik. "In bramen zitten vaak wormen."

Linde wil natuurlijk ook zout in de teil gooien. Ik wil geen risico's nemen en schud wat zout in haar hand, voor ze de kans ziet het hele pak rond te strooien. We gooien de bessen in het zoutwater en laten ze even weken. Ondertussen schenk ik ons een glaasje limonade in want van dat plukken hebben we dorst gekregen. Daarna spoelen we om de beurt een vergiet met bessen. Ik sta als een waakhond naast Linde. Zo krijgt ze de kans niet om de keuken in een poel om te toveren.

We laten de bessen uitlekken en gieten kleine kliekjes in de weegschaal. Dik twee kilogram bessen hebben we geplukt. Niet slecht. Ik neem het kookboek erbij, kijk hoeveel suiker we nodig hebben en haal een paar pakken uit de voorraadkast. Voor de bessen de kookpot in gaan, verwijderen we hier en daar nog een steeltje.

"Waar is je mama nu?" vraagt Linde opeens.

Ik kijk haar kribbig aan. Ik vind het prima dat we samen flensjes bakken en braambessen plukken, maar ze heeft het recht niet om almaar in het geheime hoekje van mijn hoofd te willen snuffelen. Waarom moet ze elke keer weer over mijn moeder beginnen?

"Mijn mama ligt op het kerkhof," antwoord ik bits. "In een kist, onder een steen, bij de wormen."

Ik zie Linde verbijsterd slikken en op haar lip bijten. Als de pot met bessen gevuld is, giet ik er de suiker op, precies zoals het kookboek voorschrijft. Ik duw een houten lepel in Lindes handen en gebaar dat ze moet roeren. Ze is zo in gedachten verzonken dat ze onder het roeren vergeet haar tong uit te steken. Ondertussen haal ik glazen jampotten uit de kelder

en zet ze zo hardhandig op het aanrecht neer dat ze luid rin-
kelen. De houten lepel blijft in de bessen steken en Linde
stopt vlug haar vingers in haar oren. Ze kijkt me met treur-
ogen aan. Als de bokalen op een rij staan, haalt ze haar vingers weer uit haar oorschelpen. Ze grijpt haar vlechten beet
en begint er zenuwachtig aan te friemelen. De ellende staat
op haar gezicht te lezen.
"Niet boos zijn, Lowie," zegt ze met een piepstemmetje. Ze
lijkt nog het meest op een bange muis. "Ik wil geen ruzie
maken. Je bent mijn vriend. Maar ligt je mama echt onder
die steen?"
Ik haal mijn schouders op en de bange muis piept verder.
"Mijn oma zegt dat dode mensen vleugels krijgen en naar de
hemel vliegen. Dat is een plek achter de wolken. Er groeien
snoepjes aan de bomen. En er zijn vijvers met limonade. Het
is er erg leuk. Een beetje als een verjaardagsfeestje, maar dan
elke dag."
Ze kijkt me vragend aan en steekt een duim in haar mond.
Een mongooltje kunnen ze alles wijsmaken. Van kabouters die
proppen schieten tot de snoepjeshemel.
"Dat kan niet," antwoord ik fel.
Mijn woorden komen hard aan. Linde krimpt in elkaar en
knippert met haar ogen als een bang vogeltje.
"Waarom niet?" fluistert ze.
"Heb jij al eens een mens met vleugels gezien?" snauw ik.
Ze denk even na.
"Nee," bekent ze dan kleintjes.
Linde heeft de nagel van haar duim en van een paar andere
vingers afgeknabbeld. De gekortwiekte vingernagels spelen
schutterig met de knopen van haar jurk.
"Dus is je mama niet naar de hemel, maar ligt ze nog altijd
in die kist onder die steen?" vraagt ze lief.
"Zoiets," mompel ik.
Ik heb helemaal geen zin om aardig te zijn, maar dat kind
blijft vriendelijk. Ik schaam me dat ik daarnet zo tekeer ben

gegaan en voel me echt een mispunt. De schuldgevoelens komen als spinnen in mijn nek gekropen. Ik ben ook zo verward. Mijn hoofd lijkt wel een droogtrommel waarin gedachten tuimelen, zoals wasgoed, kriskras door elkaar. Gisteren had ik het gevoel dat mijn moeder vlakbij was en nu begin ik over een kist met wormen.

Lindes blauwe spikkeltjesogen kijken me vol medelijden aan. "Misschien vliegen dode mensen 's nachts naar de hemel, als iedereen slaapt," probeert ze mij te troosten.

"Of misschien liegt oma," zucht ze na een korte stilte. "Dat doet ze wel meer. Aan mama en papa vertelt ze dat ze maar één borreltje drinkt voor het slapengaan. Toen ik bij haar ging logeren, heeft ze er wel drie gedronken. Misschien liegt ze ook over die vleugels."

"Wie weet," zeg ik.

Linde tuurt dromerig voor zich uit en er verschijnt een glimlach op haar lippen.

"Het zou leuk zijn voor je mama als ze in de hemel was: snoepjes aan de bomen, limonade in de vijvers..."

Ze kijkt alsof ze langs de snoepjesbomen wandelt en op haar buik bij een van die limonadevijvers genietend aan een rietje zuigt. De bange muis is van het toneel verdwenen en Pipi Langkous balt strijdlustig haar dikke vingertjes tot een vuist.

"Je mama moet naar de hemel!" roept ze vol vuur.

Ik twijfel aan die snoepjesbomen en limonadevijvers, maar het ontroert me dat Linde het zo voor mijn moeder opneemt. Er stroomt een warm gevoel door me heen en ik wil het weer goedmaken met Linde. Als er iemand een kijkje in dat geheime hoekje van mijn hoofd mag nemen, dan is zij het wel.

"Het spijt me dat ik zo onaardig tegen je was," hoor ik mezelf zeggen.

"Ben je niet boos meer op me?" vraagt ze met heldere stem.

Ik schud mijn hoofd.

"Ik wil je iets vertellen, Linde."

Ze gaat gezwind op het puntje van haar stoel zitten, duwt

haar vlechten achter haar oren om beter te kunnen luisteren en steunt met haar kin op haar handen.

"Klaar," zegt ze.

Ik zoek het geheime plekje in mijn hoofd op. De mooie momenten met mijn moeder beginnen zich voor mijn ogen af te spelen als in een film, en ik vertel wat ik zie. Mijn moeder en ik op zoek naar vlinders, fossiele schelpen en haaientanden op het strand. Mijn moeder en ik die gierend in onze handen klappen als mijn vader met de mok aan een ketting om zijn hals rond de tafel danst...

Pipi Langkous is helemaal stilgevallen. Ze zegt geen woord meer. Ze luistert met open mond en een natte duim steekt losjes in een mondhoek. Weer bekruipt mij het gevoel dat mijn moeder hier ergens in een hoekje mee zit te luisteren. Ik wil dit gevoel zo graag nog even vasthouden en ga door met vertellen. Het doet me goed om over mijn moeder te praten. De woorden vloeien uit mijn mond. En ik heb er geen seconde spijt van dat ik een paar momenten van mijn moeder en mij met Linde deel. Mijn stem wordt schor. Ik schraap al mijn moed bijeen en in horten en stoten vertel ik over de aanrijding en dat mijn moeder op slag dood was en dat ik elke dag wakker word en hoop dat het maar een boze droom was.

"Mijn vader heeft vlinders geboetseerd voor haar steen. Op haar graf zitten tientallen vlinders," is het laatste wat ik zeg.

De tranen die ik gisteren nog kon wegslikken, doen nu de gootjes van mijn ogen overlopen. Linde komt naast me staan. Ze legt één van haar dikke armen om mij heen en geeft me een paar natte zoenen op mijn hoofd. Ik ben geen knuffelaap, maar ik laat haar begaan.

"Huil maar," murmelt Linde. "Dat lucht op, zegt mijn papa."

De tranen blijven stromen alsof mijn hoofd lek is geslagen. Lindes schouders beginnen nu ook te schokken.

"Lowie, je mama moet naar de hemel," snottert ze.

"Ja," hoor ik mezelf sniffen.

Ik hoop dat mijn vader niet de keuken binnenstormt en mij ziet janken. Mijn ogen zien knalrood als ik eindelijk ophou met snotteren. Ook Linde heeft iets van een albino. Ze vist een nopjeszakdoek uit een zak en ik trek een vel van de keukenrol om mijn neus te snuiten. Mark heeft gelijk. Uithuilen lucht op, maar ik ben dat niet gewend.

"Was me dat even janken," zeg ik beschaamd.

"Huilen is tof," antwoordt Linde alsof het een leuke sport is waarmee je prijzen kunt winnen.

Ballonnen

Ik zet de pot met bessen en suiker op het vuur. Het mengsel begint te prutteleñ en ik roer de bessen tot pulp. Na een kwartier heeft de jam de juiste dikte. Ondertussen dekt Linde een feesttafel voor boterhammen met braambessenjam.
"Bij de flensjes hadden we slingers en feesthoeden," zegt ze.
"Ik moet nu iets maken voor bij de boterhammen met jam."
Ze legt een vinger op haar kin en kijkt naar het plafond alsof daar iets staat te lezen.
"Hebben jullie ballonnen, Lowie?"
Ik schuif de pot van het vuur en diep uit een lade een doos met verjaardagsspullen op. Ik scharrel in de doos. Er zitten verjaardagskaarsjes in waarvan de meeste half opgebrand zijn. Op de bodem ligt een zakje ballonnen en een rol lint om ze mee vast te maken. Ik neem het zakje en gooi het naar Linde. Ze grijpt in de lucht maar is veel te traag. Het zakje landt met een plof naast haar, op de vloer.
"Slecht gegooid," zeg ik.
Ik krijg een stralende glimlach terug. Terwijl ik de warme jam met een pollepel in de glazen potten schep, blaast Linde de ballonnen op. Daarna bind ik ze met de lintjes aan de stoelen en de tafel vast. Het is een vrolijk gezicht.
"Mooi, hé?" lacht Linde.
Ik knik. De jam voor op de boterhammen heb ik op een schoteltje geschept zodat hij beter kan afkoelen. De braambessenjam is nog lauw als ik er een boterham mee besmeer voor mijn vader. Ik breng het bord naar zijn atelier. Hij zit nog steeds voor een wit doek en zijn ogen zien rood. Als ik niet beter wist, zou ik denken dat mijn vader gehuild heeft. Maar dat is niets voor hem.
"De inspiratie wil maar niet komen," zucht hij.

"Braambessenjam doet wonderen," zeg ik.

"Is dat zo?" mompelt hij verstrooid en hij neemt de boterham. Hij neemt een hap. Zo te zien smaakt het. Dan kijkt hij me onderzoekend aan. Waarschijnlijk zijn er nog sporen van de huilpartij op mijn gezicht te zien.

"Is alles goed met je?" vraagt hij bezorgd.

"Yep," antwoord ik.

"Weet je het zeker?"

"Ye-ep," zeg ik en ik loop naar de keuken.

Natuurlijk vindt Linde de boterhammen met braambessenjam suuuuuperlekker! De allerlekkerste jam van de hele wereld. Ik heb minstens vijftien potjes gevuld en snap meteen waar ze op aan stuurt. De schooier!

"Neem straks maar twee potjes mee naar huis. Dan kunnen je ouders ook van die superlekkere jam proeven," zeg ik.

Ze klapt in haar handen en geeft me een speelse por.

"Lang leve Lowie!"

Haar liefde is echt wel verraderlijk. De por komt hard aan.

"Au!" gil ik.

Ik hou er vast weer een blauwe plek aan over. Linde schrokt vier boterhammen naar binnen en veert dan overeind.

"Ik ga naar huis," kondigt ze aan.

Ik kijk haar verbaasd aan.

"Hoezo, naar huis? Ik dacht dat je moeder je kwam ophalen?"

Linde kijkt naar haar tenen die uit de knalblauwe sandalen met plastic bloemen piepen. Tussen haar dikke teen en de volgende tenen zit wel heel veel ruimte. Haar gezicht loopt vuurrood aan.

"Ik ben al vijftien," bromt ze. "Ik ben geen baby meer."

Ze heeft natuurlijk gelijk.

"Sorry," mompel ik.

Ze kijkt naar de ballonnen en haar bedelogen worden nog maar eens uit de trukendoos gehaald.

"Mag ik ze hebben?" smeekt ze.

"Wat een schooier ben je toch!" bijt ik haar toe.

Ze slaat haar ogen neer, gaat op haar knieën zitten en vouwt haar handen samen alsof ik een heiligenbeeld ben.

"Toe nou, Lowie, ik heb ze echt nodig!"

Hiermee vergeleken is een bedelende pup met hangoren slappe thee en ik heb geen ervaring als heilige.

"Sta maar vlug op en neem die ballonnen mee," hoor ik mezelf zeggen.

Ze krabbelt overeind en probeert neuriënd de lintjes van de ballonnen los te frutselen. Ik help haar en bind de lintjes één voor één aan haar karretje. Dan zet ze er twee bokalen met braambessenjam in.

"Een cadeautje voor mama en papa," zegt ze glimlachend.

Ze grijpt de stang beet en gezwind hupt ze naar de gang. Het karretje rammelt achter haar aan.

"Tot de volgende keer, Lowie! Da-ag, Wim," gilt ze naar mijn vader.

"Da-ag," hoor ik mijn vader roepen.

Spoorloos

Ik lig in mijn pyjama op de bank in mijn vaders atelier nog wat te lezen. Lezen is niet het juiste woord. Ik laat mijn ogen over de woorden dwalen, sla af en toe een bladzijde om en weet bij god niet wat er precies geschreven staat. Ondertussen laat ik mijn gedachten de vrije loop.

Ik neem me voor om, als het weer zo blijft, morgen terug in mijn eigen kamer te slapen. Af en toe kijk ik over het boek heen naar mijn vader. Hij bladert lusteloos in een stapel oude tijdschriften en gooit ze op een hoop. Waarschijnlijk is hij op zoek naar een onderwerp voor zijn nieuwe schilderij. Af en toe kijkt hij gepikeerd naar het witte doek op de schildersezel, alsof het een kwelduivel is die hem zit uit te lachen in plaats van een stuk linnen. Naast hem ligt een leeg, verfrommeld pakje en staat er een overvolle asbak met peuken. Hij kan natuurlijk gewoon de pest in hebben omdat zijn sigaretten op zijn.

De bel gaat. Mijn vader gooit het tijdschrift waarin hij heeft zitten bladeren op de stapel en kijkt op zijn polshorloge.

"Wie kan dat nou weer zijn?" mompelt hij en hij sloft naar de voordeur.

Ik hoor een kakofonie van opgewonden stemmen in de gang en ga rechtop zitten. Ik denk dat het Katrien en Mark zijn. Mijn vader komt krijtwit het atelier binnengerend.

"Linde is weg!" zegt hij opgewonden. "Ze is spoorloos!"

Ik voel het bloed uit mijn gezicht wegtrekken en mijn hart gaat als een dolle tekeer. Ik kan geen fatsoenlijk woord meer uitbrengen.

"Hoezo?" vraag ik met overslaande stem.

"Ze is weg. Weggelopen, Lowie," zegt mijn vader toonloos. Bij gebrek aan sigaretten vist hij een peuk uit de asbak en steekt die aan. Hij houdt het korte sigarettenstompje tussen duim en wijsvinger, zuigt zenuwachtig wat rook naar binnen en dooft het dan weer in de asbak. Weggelopen? Dat lijkt me sterk. Ik kan het niet geloven. Er was geen vuiltje aan de lucht toen Linde hier vertrok met haar karretje vol ballonnen. Ze was dolblij met de jam voor haar ouders en wilde hun de potjes jam cadeau doen. Als Linde nog verteld had dat ze ruzie had met haar ouders of ongelukkig was, maar ze is hier vrolijk weggegaan...

"Dat kan toch niet," stamel ik.

"Katrien en Mark dachten dat ze misschien nog hier was," zegt mijn vader.

"Linde is hier uren geleden weggegaan, pa."

"Dat heb ik hun ook verteld," zucht mijn vader.

Ondertussen staan Katrien en Mark in de deuropening van mijn vaders atelier. Katriens gezicht ziet knalrood en zit vol vlekken. Haar schouders schokken en ze huilt hardop.

"Lowie, weet jij waar mijn meisje is?" snikt ze wanhopig.

Het klinkt meer als een gedempte schreeuw. Ik heb erg te doen met haar.

"Geen idee," murmel ik plompverloren. "Het spijt me, Katrien..."

Ze begraaft haar gezicht in een zakdoek en begint nog harder te huilen. Mark slaat zijn arm om haar schouder en probeert haar te troosten.

"Katrientje toch!" sust hij. "Zo krijgen we Linde niet terug."

Hij probeert zich sterk te houden, maar ik zie zijn knieën knikken en zijn onderlip trillen. Lindes ouders zijn totaal van de kaart. Je zou het voor minder zijn. Waar kan die vrolijke Pipi Langkous toch uithangen?

"We zetten een zoekactie op touw," kondigt mijn vader aan met een kalmte die ik niet van hem gewend ben. "We kammen het hele dorp uit. Er zijn maar een paar straten. Als je het mij vraagt, kan Linde niet zo ver weg zijn. We trommelen een paar buren op en verdelen ons in groepjes. We nemen onze mobiele telefoons mee en houden elkaar op de hoogte. Lowie, kleed je aan en haal de Kimpes en de Kruithofs naar hier."

Ik gaap mijn vader aan. Nog nooit heb ik hem zo gezien. De kluns is plotseling in een generaal veranderd. Een generaal met organisatietalent. Mijn moeder zei me ooit: "Onderschat je vader niet. Als de nood groot is, staat hij er. Meer dan wie ook."

Ik kon het me niet voorstellen, want ik zag hem alleen maar als een hard ploeterende kunstenaar, maar nu snap ik wat ze bedoelde. Ik ben opeens niet weinig trots op mijn vader en sprint naar de badkamer. Mark en Katrien zijn al de straat op om een deel van het dorp te doorzoeken als de andere buren aankomen. Mijn vader legt in twee zinnen uit wat er van hen verwacht wordt. Ze wisselen telefoonnummers uit en een paar minuten later vertrekken ook zij om enkele straten af te speuren. Mijn vader en ik blijven alleen achter.

"Ik... ben dat niet gewend van je," stamel ik. "Ik..."

"Geen tijd voor praatjes," zegt de nieuwbakken generaal kordaat. "Wij moeten de omgeving van het voetbalplein uitkammen en ook het bos."

Mijn vader bergt zijn mobiele telefoon op in zijn borstzak en loopt met grote passen het huis uit. De man die altijd drentelt, kan ik nu met moeite bijbenen. Ik hol achter hem aan en voel me Klein Duimpje, maar dan zonder zevenmijlslaarzen. Terwijl we van het voetbalplein naar het bos lopen, heeft mijn vader alle groepen opgebeld. Niemand heeft Linde gevonden. Ze is nog steeds spoorloos.

Duimen

Het begint te schemeren. Het bos en het voetbalplein werden door mijn vader en mij ondertussen grondig uitgekamd. De tred van mijn vader is trager geworden. Mijn hoofd is een piekernest en mijn benen voelen loodzwaar aan, alsof de moed er letterlijk in weggezakt is. Het ziet er niet goed uit. We hebben echt overal gekeken. Waar kan Linde toch zijn? Ik pieker me suf, ploeg mijn hersens om, snuffel in alle hoeken van mijn hoofd, ook in het mamahoekje. Linde wilde zo graag dat mijn moeder naar de hemel kon. Naar de snoepjesbomen en de limonadevijvers. Dat was zo verdomd lief van haar. Net op dat moment is het of mijn moeder iets in mijn oor fluistert.

"Ik kom, mama," hoor ik mezelf zeggen.

Mijn vader staat plotseling stil en grijpt me bij mijn schouders. Hij is totaal uit zijn lood geslagen en kijkt me bezorgd aan. Van de generaal schiet opeens niets meer over.

"Wat bezielt je toch, Lowie?" vraagt hij ongerust.

Tranen stromen over mijn wangen.

"Ik wil naar mama," huil ik.

"Naar mama," mompelt mijn vader overdonderd. "Maar Lowie, mama is..."

De rest blijft in zijn keel steken.

"Naar haar graf," snik ik.

"Haar graf..." mompelt hij met gesmoorde stem.

Hij zwijgt een hele poos en pakt dan mijn hand. We lopen samen naar het kerkhof. Het ijzeren hek met krullen staat op een kier. Op het kerkhof is het donkerder dan op straat. Dat komt doordat er enorme beukenbomen groeien. De graven tekenen zich donker af tegen de lucht. Het zijn statige schimmen geworden. Zelfs bloemen met vrolijke kleuren zijn nu grijs van tint. Als de zon aan de hemel staat, zal alles weer kleur hebben. We volgen het pad en het grint knerpt onder onze schoenen. We naderen het graf van mijn moeder. Op haar grafsteen danst een lichtje.

"Wat krijgen we nu?" stamelt mijn vader.

Naast het graf zien we schaduwen van ballonnen en een karretje met een vaan waaruit een hoofd met twee Pipi Langkous-vlechten steekt. Een kleurrijke kermis die door de avond grijs geverfd is.

"Linde," mompel ik verbaasd.

"Nee maar," fluistert mijn vader en hij laat mijn hand los om zijn mobiele telefoon uit zijn borstzak te nemen. Ik loop naar het graf van mijn moeder en hurk naast het karretje neer.

"Linde, je mama en papa zijn doodongerust," mompel ik. "Ben je nu helemaal betoeterd?"

Ze haalt haar schouders op.

"En hoe heb je mama's graf gevonden?" wil ik weten.

"De vlinders," antwoordt ze. "Ik heb ballonnen gebracht zodat je mama naar de hemel kan vliegen."

Ik krijg een brok in de keel. Lieve, lieve Linde. Ik wil iets zeggen maar ik vind de juiste woorden niet. Soms heeft een mens ook geen woorden nodig. Ik druk een stevige zoen op haar voorhoofd.

"Au," giechelt ze.

Mijn vader is naast ons komen staan. In de verte horen we de stemmen van Katrien en Mark.

"Hier moet je zijn!" roept mijn vader naar het hek.

Zijn stem wordt weerkaatst door de graven en de kerkhofmuren. Haastige voetstappen naderen in het grint. Katrien duikt naast Linde neer en drukt haar tegen zich aan.

"Mijn kleine meisje," snikt ze.

Tranen van geluk stromen over haar wangen. Linde wrikt zich los.

"Je maakt me helemaal nat," zegt ze verwijtend.

Katrien omvat met beide handen Lindes gezicht.

"We dachten dat er iets ergs gebeurd was," snikt ze. "We waren vreselijk ongerust. Dit mag je nooit meer doen. Nooit meer. Hoor je me?"

"Het spijt me," mompelt Linde. "Ik kom hier alleen maar om te wachten tot Lowies mama naar de hemel vliegt."

"Naar de hemel vliegt?" mompelt Mark verbaasd.

"Ja," antwoordt ze met heldere stem. "Dan hoeft Lowie niet meer verdrietig te zijn. In de hemel zijn er snoepjesbomen en vijvers met limonade... Een superleuke plek voor zijn mama. Veel beter dan in een kist onder een steen bij de wormen."

Het zijn rake woorden. Pipi Langkous heeft ons allemaal het zwijgen opgelegd en het blijft een poos stil.

"Het is heel lief van je dat je dat wilt doen," verbreekt Mark de stilte. "Echt wel, maar je kunt hier toch niet de hele nacht blijven zitten, lieve schat."

"Toch wel," zegt Linde vastbesloten. "Ik wil het zien."

Mijn vader schraapt zijn keel.

"Dat hoeft niet, Linde. We zullen de ballonnen vastmaken aan de vlinders, en als ze morgen verdwenen zijn, dan is Lowies mama naar de hemel gevlogen. We kunnen morgenvroeg komen kijken. Als je ouders het goed vinden, tenminste."

"Geen probleem," zegt Mark.

"Oké," mompelt Linde. "Ik hoop dat de ballonnen morgen weg zijn. Jij ook hé, Lowie. Laten we duimen."

"Yep," antwoord ik.

Het voordeel van de twijfel

Ik lig op de bank in mijn vaders atelier met het laken opgetrokken tot aan mijn kin. Mijn vader heeft het laatste kopje uit de kast gepakt en schenkt zichzelf koffie in.

"Geloof jij in de hemel?" vraag ik opeens.

Hij neemt een slok van zijn koffie en vist in de asbak naar een peukje. Dan rommelt hij met een vinger in een luciferdoosje op zoek naar een exemplaartje mét zwavelkop, want het doosje zit natuurlijk vol opgebrande lucifers. Dicht bij zijn gezicht steekt hij het peukje aan. Straks verbrandt hij zijn neus nog. Zo ken ik hem weer.

"Ik heb altijd gedacht dat het leven stopte bij de dood," bekent hij. "God en zijn hemel waren niet aan mij besteed."

Dat weet ik. Ik heb het hem eerder horen zeggen. Vooral na een paar glazen wijn kon hij daar eindeloos over doorzeuren.

"Mm," zeg ik.

"Doodgaan was voor mij het licht uit. Gedaan," zegt hij met een zucht. "Maar sinds mama er niet meer is, twijfel ik soms."

"Zoals toen we hier zo stonden te lachen?" vraag ik.

Hij kijkt me verrast aan.

"Precies," antwoordt hij.

"Ik had hetzelfde gevoel, pa."

Het peukje wordt gedoofd en mijn vader pikt een ander uit de asbak. Hij rommelt opnieuw in het luciferdoosje en doet een tweede poging om zijn neus in de fik te steken.

"Een mens moet het zichzelf niet altijd moeilijk maken," mompelt hij. "Ik geef mezelf het voordeel van de twijfel."

Het voordeel van de twijfel... Ik probeer het te begrijpen.

"Als er toch iets zou zijn, dan is dat mooi meegenomen," legt mijn vader uit. "Is er niets, dan... Tja... Dan is dat zo."

Ik snap wat hij bedoelt. De peukjesroker kijkt me strak aan.

73

"Weet je," zegt hij. "Ik mis mama enorm. Elke dag opnieuw."
Het is vreemd om zulke woorden uit mijn vaders mond te horen komen.
"Jij ook?" wil hij weten. Ik kijk de andere kant op.
"Verschrikkelijk," zeg ik nauwelijks hoorbaar. Mijn ogen prikken en ook mijn vader heeft het moeilijk. Hij slikt.
"Als we niet uitkijken worden we huilebalken," probeer ik grappig te doen.
"En kletstantes," mompelt mijn vader.
Hij heeft gelijk. Ik denk dat we nog nooit zoveel gepraat hebben.
"En lachtaarten," doe ik er nog een schep bovenop. "Zoals toen we zo hard moesten lachen. Alsof mama een stukje van haarzelf in ons achtergelaten heeft."
"Ik ben zo blij dat ik je heb, Lowie," fluistert mijn vader.
Hij komt op de rand van de bank zitten, pakt mijn hand en knijpt erin.
"Wat ben ik blij met jou, knul!"
Ik doe geen moeite meer om mijn tranen weg te slikken en laat ze gewoon over mijn wangen rollen. Ik grijp mijn vader bij zijn schouders en trek hem naar me toe. Veel te hard, net als Linde. Misschien houdt hij er blauwe plekken aan over. Mijn vader stinkt naar koffie en vieze peuken, maar het kan me allemaal niet schelen. Ik duw mijn gezicht tegen zijn schouder. Hij slaat een arm om me heen en aait mijn hoofd. De koele kikkers huilen zoals ze nog nooit eerder gehuild hebben. Als de schouders van mijn pyjamajasje en mijn vaders T-shirt doorweekt zijn, laten we elkaar los. Mijn vader staat op en gaat met zijn vinger in de asbak roeren. Een magere vangst. Alle peuken zijn inmiddels opgerookt.
"Vind je het erg als ik een pakje sigaretten haal bij de automaat?" vraagt hij.
"Nee, natuurlijk niet, papa. Doe maar."

De rondedans

's Morgens vroeg word ik wakker met de geur van koffie, sigaretten, verf en terpentijn in mijn neus. Mijn vader staat naast
de bank. Ongeschoren en nog steeds in dezelfde kleren als
gisteren. Ik vraag me af of hij wel geslapen heeft. Hij doet dat
wel eens vaker, de hele nacht doorwerken.
"Kleed je vlug aan," krast hij met de stem van een nachtvogel.
"We gaan naar het kerkhof. Ondertussen ga ik Linde halen."
Als ik beneden kom, staat Linde al te popelen in de keuken.
Ze draagt een veelkleurige short met stippen erop en een T-
shirt waaraan plastic fruit bengelt.
"Spannend, hé?" roept ze vrolijk. "Heb je geduimd, Lowie?"
"Ja," antwoord ik.
Haar blauwe spikkeltjesogen twinkelen. Ik krijg medelijden
met haar. Ze zal zo ontgoocheld zijn als de ballonnen niet weg
zijn. En ze zullen er nog hangen, dat weet ik wel zeker.

Het is mistig. Boven de akkers hangen slierten nevel, als uit-
gerekte plukken watten. Linde huppelt naast me.
"Net suikerspinnen," roept ze. "Ik denk dat ze die in de hemel
ook hebben."
Het grijze kerkhof heeft weer kleur gekregen. Op de graven
staan bontgekleurde ruikers bloemen, fotolijsten met rode
porseleinen rozen en spreuken in felle letters achter plexi-
glas. We ploegen door het grint en naderen het vlindertjes-
graf van mijn moeder. De ballonnen zijn verdwenen en er valt
geen lintje meer te bespeuren. Linde is niet meer te houden.
Ze grijpt mijn handen beet, begint heel luid 'Hoedje van papier' te zingen en danst wild in het rond. Haar vlechten zwiepen om haar heen en de fruitjes aan haar T-shirt rammelen
vrolijk.

"Het is gelukt," joelt ze uitzinnig van vreugde. "Het is gelukt. Je mama is naar de hemel!"

Ze laat me even los en sleurt mijn vader mee bij zijn arm. Ik geloof mijn ogen niet. De houten klaas laat zich waarachtig meeslepen door het meisje en doet mee aan ons rondedansje. In het geheime hoekje van mijn hoofd barst een schaterlach los. Ik gooi mijn benen nog wat hoger en schud met mijn hoofd terwijl mijn vader uit volle borst met Linde meezingt over het papieren hoedje. We dansen tot we helemaal duizelig zijn.

Op het streepje gras naast mijn moeders grafsteen ploffen we hijgend neer. Linde wijst naar een paar schapenwolken. Mijn vader en ik kijken omhoog.

"Daarachter is de hemel," zegt ze.

Ik vraag niet of mijn vader de ballonnen heeft weggehaald. Ik kijk niet in de vuilnisbak bij het hek om te zien of er geknapte ballonnen en stukjes lint in zitten. Ik geef me over aan het voordeel van de twijfel.

Op de terugweg halen we ontbijtkoeken bij de bakker.

"We hebben iets te vieren," lacht mijn vader.

"Ja," kwebbelt Linde. "Vanavond is het feest bij ons. Dan mogen alle buren komen die gisteren naar mij hielpen zoeken om taart te eten. Maar nu gaan we koeken eten omdat Lowies mama naar de hemel is."

De vrouw van de bakker gooit de ontbijtkoeken in een zak. Ze rekent snel af en kijkt ons hoofdschuddend na als we de bakkerij verlaten.

Voor we de zak met ontbijtkoeken aanvallen, wil mijn vader ons nog iets laten zien. Hij loopt naar zijn schildersezel. Op het doek staat mijn moeders grafsteen met ballonnen erop geschilderd. Daarnaast staat een karretje waarin een meisje zit met scheve ogen en twee vlechten. Linde slaat verbaasd een hand voor haar mond als ze zichzelf herkent.

"Dat ben ik!" gilt ze. "Met mijn karretje."

"Vind je het mooi?" vraagt mijn vader.
Linde houdt haar hoofd scheef om het schilderij nog beter te bekijken.
"Heel mooi," antwoordt ze. "Maar mijn tuinbroek moet oranje zijn en de ballonnen en mijn karretje moeten ook mooie kleurtjes krijgen."
"Misschien heb je wel gelijk," mompelt mijn vader.
Mijn vader wijst naar de achterkant van het doek.
"Wat vind je van de titel?" vraagt hij aan mij.
"En toen kwam Linde," lees ik hardop.
"Ik weet iets beters," zeg ik dan.
Linde komt naast me staan en vlijt haar hoofd tegen mijn arm.
"En toen kwam de hemel," zeg ik.
"Ook goed," mompelt mijn vader.
"Mooi!" zegt Linde.